Harald Hahn

Freie Radios
als Ort der aktiven Jugend-Medien-Arbeit

Harald Hahn

FREIE RADIOS
ALS ORT DER AKTIVEN JUGEND-MEDIEN-ARBEIT

ibidem-Verlag
Stuttgart

Die Deutsche Bibliothek - CIP-Einheitsaufnahme:

Ein Titeldatensatz für diese Publikation ist bei
Der Deutschen Bibliothek erhältlich

∞

Gedruckt auf alterungsbeständigem, säurefreien Papier
Printed on acid-free paper

ISBN: 3-89821-158-4

© *ibidem*-Verlag
Stuttgart 2001
Alle Rechte vorbehalten

INHALTSVERZEICHNIS

Dankeschön

An dieser Stelle möchte ich mich bedanken, bei Dr. Bodo Brücher, für die sehr gute Betreuung meiner Arbeit, sowie bei Prof. Dr. Dieter Baacke.

Ein Dankeschön den befragten Jugendlichen in den Freien Radios und meinen FreundInnen, Thomas Guthmann, Manfred Horn, Daniela Gigl, Claudia Senf, Heike Krippendorf, Karsten Weishaar, Sven Engel und Marc Schindler, die während der Endphase dieser Arbeit für mich da waren.

Dank auch der Radiogruppe im ArbeiterInnen -Jugendzentrum (AJZ) Bielefeld, der ich diese Arbeit widmen möchte.

Vorwort zur Taschenbuchausgabe

Nachdem die erste Auflage des Buches "Freie Radios als Ort der aktiven Jugend-Medien-Arbeit" verkauft wurde, hat sich der Ibidem-Verlag bereit erklärt, eine kostengünstige Taschenbuchausgabe herauszugeben. Bei vielen Rezensionen der Erstauflage wurde kritisch angemerkt, daß der Buchpreis einige interessierte Leser-Innen leider davon abhalten könnte, das Buch zu lesen. Als Autor wünsche ich mir nun, daß das Buch aufgrund des günstigeren Preises nunmehr auch Leserinnen und Leser außerhalb der Medienwissenschaft zugänglich ist. An Aktualität hat das Buch auch zwei Jahre nach Erscheinen der Originalausgabe nicht eingebüßt Auf vielen Lesungen tauchte immer wieder die Frage auf, inwieweit das Medium Internet die Freien Radios verändert oder sogar überflüssig macht. Ich habe diese Frage für die Taschenbuchausgabe aufgegriffen: In dem Interviewkapitel "Internetradio und Freies Radio - Ansichten und Meinungen" werden aktive RadiomacherInnen, Publizisten und ein Pädagogikprofessor zu ihrer Meinung zu diesem Thema befragt.

Inzwischen ist der Bundesverband Freier Radios mit einem Hörangebot im Internet präsent. Auf der Website www.freie-radios.net können Interessierte Sendungen von Freien Radios und Freien Radiomacherinnen und -macher herunterladen. Und in Sachen Gegenöffentlichkeit haben die MedienaktivistInnen von www.indymedia.org nun auch in Deutschland ein Internetportal geschaffen, um Informationen der neuen sozialen Bewegungen, insbesondere der antikapitalistischen GlobalisierungsgegnerInnen zu verbreiten.

Und die Freie Radioszene lebt und sendet. Einige legale Freie Radios sind aber von der Schließung bedroht. So gibt es in Niedersachsen Überlegungen, die nichtkommerziellen Radios (NKL), also die Freien Radios, nach Ende des Modellversuches im Jahre 2002 wieder abzuschaffen. Aber in vielen anderen Bundesländern gibt es immer noch die Möglichkeit, legal Freies Radio zu machen. In Städten wie z.B. Berlin, in denen der Gesetzgeber immer noch nicht den Weg für ein nichtkommerzielles Radio freigegeben hat, gibt es eine Vielzahl von PiratenfunkerInnen, die sich die Brechtsche Radiotheorie,"Jeder Sender ein Empfänger" zu Eigen machen und illegal senden. Hierzu gehören Projekte wie der illegale Jugendsender Twen FM, die Club Musik spielen und somit ein Medium der Jugendkultur sind als auch das Radio Westfernsehen, welches neben Musiksendungen auch sehr anspruchsvolle Politiksendungen sendet, um in klassischer Weise Gegenöffentlichkeit herzustellen. Beides ist meiner Ansicht nach ein berechtigtes Anliegen. Deshalb ist den PiratenfunkerInnen Berlins und anderswo und allen anderen progressiven MedienaktivistInnen diese Taschenbuchausgabe gewidmet.

Berlin, im Oktober 2001

Harald Hahn

0. Einleitung

In Europa gibt es ca. 1500 nichtkommerzielle Radiostationen (Community Radios). Über 3000 Personen sind dort beschäftigt und ca. 50.000 freiberufliche oder ehrenamtliche MitarbeiterInnen produzieren in diesen Sendern Radiosendungen. (vgl. Dorer/Marschik 1995, S.14-18) Auch in der Bundesrepublik Deutschland gibt es lokale nichtkommerzielle Rundfunkstationen. Mehr als 30 sogenannte Freie Radios, in denen viele Jugendliche aktiv am Hörfunkprogramm mitarbeiten, strahlen täglich Hörfunkprogramme aus.

Jedoch scheint das medienpädagogische Interesse für diese Projekte nicht allzu groß zu sein. So ist es schwierig, wissenschaftliche Literatur speziell zu Freien Radios zu finden. Die mangelnde Aufmerksamkeit hängt meines Erachtens mit dem Entstehungszusammenhang der Freien Radios zusammen. Die freien, nichtkommerziellen Radios sind nicht aufgrund medienpädagogischer Überlegungen entstanden, sondern sie sendeten in ihrer Anfangsphase als sogenannte Piratensender ohne Lizenz illegal, um die neuen sozialen Bewegungen (Anti-Akw-, Ökologie-, Friedensbewegung etc.) zu unterstützen. Die Freien Radios wurden schließlich eine eigenständige soziale Bewegung mit medienpolitischen Forderungen nach eigenen Frequenzen, die sie schließlich politisch erkämpft haben.

Mit dieser sozialwissenschaftlichen Arbeit soll ein Einblick in die aktive Jugend-Medien-Arbeit der Freien Radios gegeben werden. Sie bietet eine fundierte Grundlage für weiterführende sozialwissenschaftliche Forschungen über Freie Radios sowie für eine auf Selbstbestimmung ausgerichtete aktive Medienarbeit.

Dem Thema wird sich durch die Betrachtung der Entstehungsgeschichte der Freien Radios angenähert. Dies soll zu einem besseren Verständnis dieser Rundfunkstationen führen. Da die Geschichte des Rundfunks auch immer eine Geschichte der Partizipation am Rundfunkwesen ist, skizziere ich ausführlich den Kampf der Arbeiter-Radiobewegung für eigene Frequenzen, um autonom, selbstbestimmt und ohne Zensur senden zu können. Einen Kampf, den die Piratensender der neuen sozialen Bewegungen wieder aufnahmen. Deshalb werden die Piratensender ausführlich nach der Arbeiter-Radiobewegung dargestellt werden. (Kap.1)

11

Die neuen sozialen Bewegungen entwickelten ein Politikverständnis, in dem Gleichheit, Partizipationsmöglichkeit und Authentizität das Fundament für eine andere Politikform bilden. Diese Ansprüche galten und gelten immer noch für eine alternative Medienproduktion. Inwieweit in den freien, nichtkommerziellen lokalen Radiostationen und ihren Jugendradiogruppen diese Indikatoren verwirklicht werden, ist eine Frage, die in dieser Arbeit erörtert wird.

Desweiteren werden die Örtlichkeiten der Freien Radios untersucht, weil sie ein wichtiger Bestandteil einer aktiven Jugend-Medien-Arbeit in Freien Radios sind und häufig übersehen wird, wie wichtig der Raum und die Örtlichkeit für pädagogische und politische Prozesse sind. Eine weitere Fragestellung ist, wie die aktive Jugend-Medien-Arbeit in den Freien Radios konkret aussieht und ob sie zur Medienkompetenz beiträgt.

Die theoretische Grundlage eines emanzipatorischen Politikverständnisses der neuen sozialen Bewegungen und einer alternativen Medienproduktion findet sich in den klassischen medientheoretischen Ansätzen von Brecht, Enzensberger, Habermas und Negt/Kluge, die u.a. im medientheoretischen Bezugsrahmen alternativer Öffentlichkeitsproduktion dargestellt und diskutiert werden. (Kap.2)

Danach werden die neueren medientheorethischen Ansätze, die in den Freien Radios diskutiert werden, aufgegriffen. Es wird neben dem auf Aufklärung basierenden Konzept der Gegenöffentlichkeit der Ansatz der souveränen Medien dargestellt, der eine ästhetische Nutzung des Mediums Radio, abgekoppelt von den RezipientInnen, vorsieht. Als Bindeglied zwischen den divergierenden Ansätzen stelle ich das Konzept der Kommunikationsguerilla vor, weil dieses Konzept eine Brückenfunktion zwischen Gegenöffentlichkeit und souveräne Medien bilden kann. (Kap.3)

Alle medientheoretischen Ansätze, vor allem die klassischen, haben Einfluß auf die Medienpädagogik und spiegeln sich in deren unterschiedlichen Richtungen wieder. Deshalb wird die Entwicklung von der ideologiekritischen Medienpädagogik zur handlungsorientierten Medienkompetenz aufgezeigt, mit Blickrichtung auf den handlungsorientierten Ansatz der subjektorientierten Jugendarbeit, weil dieser Ansatz weitreichende Möglichkeiten für eine aktive Jugend-Medien-Arbeit bietet. Zum aktiven Handeln im Umgang mit Medien gehört die Medienkompetenz, die eine Schlüsselqualifikation in der aktiven Arbeit mit Medien darstellt. (Kap.4) Darum wird der Begriff der Medienkompetenz näher beleuchtet werden und in Bezug zu der aktiven Jugend-Medien-Arbeit in den Freien Radios gesetzt.

Um Medienkompetenz zu erlangen, sind Orte zu deren Vermittlung notwendig. Deshalb werden die Örtlichkeiten der freien Radiostationen näher betrachtet. Den Schwerpunkt bietet die Betrachtungsweise der Örtlichkeit unter dem Gesichtspunkt des Freien Radios als sozialem Ort und Erfahrungsraum, den die Jugendlichen sich sozial aneignen können. (Kap.5)

Das letzte Kapitel der Arbeit bildet ein empirischer Teil, in dem die jugendlichen RadiomacherInnen und die medienpädagogischen BetreuerInnen der Freien Radios in Freiburg, Stuttgart, Schopfheim und Tübingen selbst zu Wort kommen.

Die Städte liegen alle in Baden-Württemberg. In diesem Bundesland gab es das erste legalisierte Freie Radio, und es hat inzwischen die meisten legalen freien nichtkommerziellen lokalen Radiostationen in der Bundesrepublik Deutschland. Die vier Radiostationen wurden ausgesucht, weil die Sender unterschiedliche Rahmenbedingungen haben. "Radio Dreyeckland" in Freiburg war das erste legalisierte Radio in der Bundesrepublik und ist aus den neuen sozialen Bewegungen hervorgegangen. Das "Freie Radio für Stuttgart" sendet aus einer Großstadt mit einem anderen kulturellen Angebot für Jugendliche als das kleinste Freie Radio der Bundesrepublik, der "KANAL Ratte"in Schopfheim, einer Kleinstadt im Schwarzwald. Die vierte Radiostation ist die "Wüste Welle", das Freie Radio für Tübingen/Reutlingen, einer Mittelstadt mit studentischem Milieu.

Mit den RadiomacherInnen und BetreuerInnen wurden sowohl Einzel- als auch Gruppeninterviews zu den Themenkomplexen *soziale Zusammensetzung der Radiogruppe*, *Motivation*, *Produktionsweise*, *Lernerfolge* und *Verhältnis der Radiogruppe zu dem Gesamtprojekt Freies Radio* geführt.

Die Interviews können nicht als repräsentativ angesehen werden, da die Menge der befragten Jugendlichen zu gering ist. Mir ging es darum, mit den Interviews den Praxisbezug herzustellen und die aktive Jugend-Medien-Arbeit in Freien Radios mit Hilfe der Interviews zu konkretisieren. Das Interviewmaterial war für mich auch ein Hilfsmittel zur Beantwortung meiner Fragen hinsichtlich der Gleichheit, Partizipationsmöglichkeit und Authentizität sowie der Entwicklung von Medienkompetenz in Jugendradiogruppen der Freien Radios. Außerdem verwende ich das Interviewmaterial, sowie persönliche Beobachtungen, die ich bei meinen Besuchen der Radiostationen gewonnen habe, bereits im Kapitel über Freies Radios als sozialen Ort und sozialen Aneignungs- sowie Erfahrungsraum.

Ich hoffe, daß trotz der Komplexität des Themas die Lektüre dieser Arbeit Freude bereitet und zu einem besseren Verständnis der Freien Radios und der aktiven Jugend-Medien-Arbeit in diesen Sendern beiträgt.

1. Entstehungsgeschichte der Freien Radios

1.1 Freie Radios in der Tradition der Arbeiterradio-Bewegung

Die Frage, wer die Verfügungsgewalt über das Medium Radio hat, ist so alt wie das Medium selbst. Eine Zäsur in der Sozialgeschichte des Rundfunks gab es während der Novemberrevolution 1918,[1] als das Nachrichten- und Telegraphenbüro der Firma Wolf (WTB) von einer Abordnung des Berliner Arbeiter- und Soldatenrats besetzt wurde.

> "Während der Novemberrevolution wurde zum ersten Mal in der Geschichte der drahtlosen Nachrichtenübermittlung in Deutschland ein Anspruch auf das amtliche Nachrichtenwesen außerhalb der bis dahin zuständigen Reichsbehörden geltend gemacht." (Lerg 1980, S.39)

Dies war ein Novum in der Geschichte des Rundfunkwesens in Deutschland. Es gab heftige Auseinandersetzungen um die Funkanlagen, bei denen die revolutionären Arbeiter und Soldaten als Sieger hervorgingen. Die zum Schutz der Funkanlagen abkommandierten Soldaten stellten sich dem Vollzugsrat der Arbeiter- und Soldatenräte zur Verfügung und nahmen den Sendebetrieb in eigener Regie auf. (vgl. Lerg 1980, S.38 u. Dahl 1978, S.211)

Auch nach der blutigen Niederschlagung der Novemberrevolution gab es immer wieder Bestrebungen, außerhalb des staatlichen Sendemonopols revolutionäre Nachrichten über Funk zu verbreiten und eigene Arbeitersender zu errichten. Am 10. April 1924 gründeten über 3000 Arbeiter in Berlin den Arbeiter-Radio-Klub (ARK). Die Arbeiter waren vorwiegend in der SPD, KPD und anderen sozialistischen Organisationen sowie im Allgemeinen Deutschen Gewerkschaftsbund organisiert. Sie trafen sich zum Austausch von Schaltplänen und Einzelteilen und bauten Rundfunkgeräte, die zur damaligen Zeit sehr teuer waren. (vgl. Dahl 1978, S.40-41)

---

1 Auf die Novemberrevolution kann in dieser Arbeit nicht näher eingegangen werden. Eine ausführliche Darstellung der Ereignisse findet sich in: Haffner, Sebastian: 1918 / 19 - Eine deutsche Revolution. Hamburg 1988

Der Akt der Rezeption von Hörfunkprogrammen war in den Arbeiter-Radio-Klubs ein kollektiver Akt. Es wurden gemeinsam Sendungen angehört, nicht wie in der heutigen Zeit, in der das Medium Radio vorwiegend individualistisch rezipiert wird. Damals war Rundfunkhören noch keine Privatangelegenheit. Es wurden gemeinschaftliche Hörformen über den Familienzusammenschluß hinaus organisiert. (vgl. Lenk 1997, S.57)

Der Arbeiter-Radio-Klub benutzte das Medium auch als Aktionsradio, das in den sozialen und politischen Auseinandersetzungen für die Arbeiterbewegung als Agitationsinstrument vielfältig eingesetzt werden konnte. So unterstützten ARK-Gruppen die vorwiegend von der internationalen Arbeiterhilfe getragenen Kampagnen *"Hände weg von Sowjetrußland"* und *"Hände weg von China"*. indem sie leistungsstarke Rundfunkempfänger in verschiedenen Städten auf öffentlichen Plätzen aufstellten, um die deutschsprachigen Hörfunksendungen von dem Moskauer Gewerkschaftssender auszustrahlen. (vgl. Dahl 1978, S.49) Eine große Faszination übte der sowjetische Rundfunk auf die Arbeiter-Radio-Bewegung in Deutschland aus. In der Anfangszeit der Sowjetunion arbeiteten dort in Betriebsgruppen aufgeteilte sogenannte Radiokoren aktiv am Rundfunkprogramm mit. Mit Mikrophon und Aufnahmegerät besuchten sogenannte "Rundfunk-Stoßtrupps" unangekündigt die Fabriken, um die Zustände und das Verhältnis von Belegschaft und Leitung zu untersuchen. (vgl. ebd. S.50)

Für den Philosophen Walter Benjamin war die ehemalige Sowjetunion ein Vorbild für einen emanzipatorischen Mediengebrauch. Vor allem in der Sowjetpresse sah er dies verwirklicht.

> "Der Lesende ist dort jederzeit bereit, ein Schreibender, nämlich ein Beschreibender oder auch ein Vorschreibender zu werden." (Benjamin 1977, S.686)

Walter Benjamin propagierte, daß Autor und Produzent zusammenschmelzen und der Gegensatz aufgehoben werden sollte. Damit ein emanzipatorischer Mediengebrauch gelänge, müsse der Zugang zu medialen Produktionsmitteln gewährleistet sein. Auch die Arbeiter-Radio-Bewegung der zwanziger Jahre plädierte für einen offenen Zugang zum Produktionsmittel Radio. ArbeiterInnen wollten nicht nur RezipientInnen sein; ein Postulat, an dem die Freie-Radio-Bewegung in den siebziger Jahren angeknüpft hat und das die freien, nichtkommerziellen lokalen Radiostationen der neunziger Jahre ansatzweise verwirklicht haben.

Im Juni 1925 schrieb der Arbeiter-Radio-Klub:

"Wem gehört die Luft? Die Luft hat nur einen Gebrauchswert für dich, durch den Rundfunk wird dieselbe zur Ware, wird zum Transportmittel. Wer darf nun den Äther als Transportmittel benutzen? Der Äther ist Allgemeingut aller Menschen, Gemeingut aller Staaten. Es wird an der Zeit, daß die Arbeiter aller Länder sich auch um die Luft zum Senden kümmern, sonst wird jedem Arbeitersender die Luft abgeschnitten." (Dahl 1983, S.53)

Im Jahre 1928 hat sich der Arbeiter-Radio-Klub in Arbeiter-Radio-Bund (ARB) umbenannt und gab die Zeitschrift *"Arbeiterfunk"* heraus. Selbiger rief die Mitglieder des Frontkämpferbundes der KPD und des Reichsbanners Schwarz - Rot - Gold, in dem sich Liberale und Sozialdemokraten organisiert hatten, dazu auf, Kurzwellenradiogruppen aufzubauen. (vgl. Dahl 1978, S.51-53) Ein Jahr später spaltete sich der Arbeiter-Radio-Bund. Der KPD-orientierte Flügel trat aus der Organisation aus und gründete den Freien Radio Bund Deutschlands (FRBD). Inzwischen nahmen auch die ideologischen und politischen Differenzen zwischen SPD und KPD zu, nachdem am 1. Mai 1929 die sozialdemokratisch/preußische Regierung eine nicht genehmigte 1. Mai-Demonstration schießen ließ. (vgl. Dahl 1978, S.60) Nachdem die Kommunisten den Arbeiter-Radio-Bund verlassen hatten, rückte der sozialdemokratisch dominierte Verband von der Forderung nach einem Sender für die lohnarbeitende Bevölkerung ab. Die Verbandszeitschrift "Arbeiterfunk"erkannte

"gar keinen Vorteil mehr von einem Arbeitersender. Wenn er nicht nur die organisierten Sozialisten befriedigen will, muß er Konzessionen machen. Wer aber will garantieren, daß der weder politisch noch gewerkschaftlich organisierte Hörer nicht nur diese Konzessionen hört und sonst seinen Ortssender einschaltet?" (Arbeiterfunk Jg.4, Nr.22, 31. 5. 1929 zit. n. Dahl 1978, S.60)

Der Freie-Radio-Bund Deutschlands dagegen hielt die alte Forderung nach eigenen Arbeitersendern aufrecht. Hinzu kamen noch direkte Aktionen, bei denen HörerInnen und Betroffene das Medium für sich in Anspruch nahmen, um ihre Botschaft zu verkünden. Mit dem Aufruf: *"Gegen die Reichen"*, *"Für die Armen"*, unterbrachen Arbeitslose die Musik einer Tanzveranstaltung im Café Wien, die im Hörfunk live übertragen wurde. In München sangen Erwerbslose die Internationale als eine Hörfunksendung aus den städtischen Suppenanstalten ausgestrahlt wurde. Als die proletarischen Sänger von Kriminalbeamten hinausgedrängt wurden, schnitten sie das Kabel zum Übertragungswagen entzwei. (vgl. Dahl 1978, S.80) Nachdem die Forderung nach eigenen Arbeitersendern nicht erfüllt wurde, nahmen die ersten Piratensender ihren Betrieb auf. Der Freie-Radio-Bund Deutschlands organisierte die Arbeiterradio-Praxis. In Berlin betrieben Arbeiter, die sich vom FRBD zu Funktechnikern ausbilden ließen, einen illegalen Sender, der im Dezember 1932 abends zwischen 19:00 Uhr und 19:30 Uhr zu empfangen war. Am Ende des Monats, am Silvesterabend 1932, wurde die Rede des damaligen Reichspräsidenten Hindenburg von einem Piratensender des FRBD unterbrochen. Anstelle der Rede Hindenburgs war ein Aufruf gegen die Rüstungspolitik der Reichsregierung im Radio zu hören. (vgl. Dahl. 1978, S.80 u.81)

Im gleichen Jahr hielt Bertolt Brecht seine *"Rede über die Funktion des Rundfunks"*. Sie bildet die Grundlage der brechtschen Radiotheorie. Brecht entwickelte die Theorie eines Rundfunks, der ein Kommunikationsapparat ist.

"Der Rundfunk wäre der denkbar großartigste Kommunikationsapparat des öffentlichen Lebens, ein ungeheures Kanalsystem, das heißt, er wäre es, wenn er verstünde, nicht nur auszusenden, sondern auch zu empfangen, also den Zuhörer nicht nur hören, sondern auch sprechen zu machen und ihn nicht zu isolieren, sondern ihn in Beziehung zu setzen. Der Rundfunk müßte demnach aus dem Lieferantentum herausgehen und den Hörer als Lieferanten organisieren." (Brecht 1967, S. 129)

Die Kritik, die Brecht am herrschenden Rundfunksystem seiner Zeit hatte, war die Einwegkommunikation, die den RezipientInnen keine Möglichkeit ließ, selbst als Sender zu fungieren. Die Quintessenz der brechtschen Radiotheorie lautet:

"Der Rundfunk ist aus einem Distributionsapparat in einen Kommunikationsapparat zu verwandeln." (ebd. S. 129)

Die Verwirklichung der brechtschen Radiotheorie, die zugleich auch das Fundament einer Radio-Utopie bildet, an die die freie Radiobewegung anknüpfte, mußte noch einige Jahrzehnte warten. Ihre Umsetzung fand erst mit Aufkommen der Piratensender der neuen sozialen Bewegungen in den siebziger Jahren statt. Die späte praktische Umsetzung und Rezeption der brechtschen Radiotheorie ist meines Erachtens unter anderem darin begründet, daß zur Zeit des Nationalsozialismus jeglicher Ansatz von emanzipatorischem Mediengebrauch zerstört wurde.

Der Freie Radio Bund Deutschlands wurde am 26. Februar 1933 verboten, und viele Mitglieder nahmen den Kampf gegen die Faschisten mit Hilfe von selbstgebastelten illegalen Radiosendern auf, wie z.b. Hans Kopie von der antifaschistischen Widerstandsgruppe *"Rote Kapelle,"* der von einem Boot aus auf dem Tegeler See in Berlin Sendungen ausstrahlte. (vgl. Dahl 1978, S.81) In München betrieben 1942 katholische Jugendliche einen kleinen antifaschistischen Sender. Der Arbeiter Kurt Wenzel betrieb in Leipzig den Geheimsender *"Simon".* Zuerst von Spanien aus, später aus der ehemaligen Sowjetunion, sendete der antifaschistische Sender *"Stimme der Freiheit in deutscher Nacht"* - auf Welle 29,8' ins deutsche Reichsgebiet. (vgl. ebd. S.127-128) Der antifaschistische Freiheitssender war einer der am häufigsten rezipierten illegalen Widerstandssender.

Der Sender stand mit dem Schriftstellerschutzverband (SDS) in enger Kooperation. Zahlreiche exilierte deutsche Künstler, Autoren und Intellektuelle wie z.b. die Schriftsteller Thomas und Heinrich Mann, Egon Erwin Kisch, der Wissenschaftler Albert Einstein, der Graphiker Frans Masereel u.v.a. waren fester Bestandteil des Hörfunkprogrammes (vgl. ebd. S.188) Die illegalen Widerstandssender während der Zeit des Nationalsozialismus durchbrachen das staatliche Sendemonopol und waren als Medium ein Element der sozialen Bewegung der Arbeiter.

Auch die illegalen Freien Radios in der Bundesrepublik der siebziger Jahre waren Teil einer sozialen Bewegung. Allerdings nicht der Arbeiterbewegung, sondern der sogenannten neuen sozialen Bewegungen. Gemeint sind Friedens-, Frauen-, Ökologie- und Alternativbewegung. Die Freien Radios fungierten als Oppositionsradios gegen die herrschenden gesellschaftlichen Verhältnisse. Das inzwischen legalisierte ehemalige Freie Radio "Radio Dreyeckland" in Freiburg sieht sich immer noch als Widerstandsradio in der Tradition der Arbeiterradiobewegung.

"Zielsetzungen Freien Rundfunks stehen zu den herrschenden Normen in dieser Gesellschaft in krassem Gegensatz. Freies Radio, das auf die Befreiung erniedrigter und unterdrückter Eigenschaften ausgerichtet ist, das sich auf längerfristige Prozesse der Bewußtseinsveränderung der Menschen einläßt und verstän-

digungsorientiertes Handeln als Intervention in diese Gesellschaftsordnung zustande bringen will, wird für diesen Weg immer kämpfen müssen. Und diese
Widersprüche und Kämpfe um den Rundfunk bestehen, seitdem es ihn gibt.
Radio Dreyeckland sieht sich ein Stück weit mit seinem Kampf um Zugang
zum Rundfunk für die Bevölkerung - um Meinungsfreiheit - in der Tradition
der Arbeiterradiobewegung." (Grieger 1987, S.36-37)

1.2 Freie Radios als Teil der neuen sozialen Bewegungen

Nachdem die Arbeiterradiobewegung zerschlagen worden war, der Faschismus das
Medium Radio als staatliches Propagandainstrument mißbraucht hatte, die Bundesrepublik Deutschland gegründet und ein öffentlich-rechtliches Rundfunksystem er-
richtet wurde, kam erst mit dem Aufkommen der sogenannten sozialen Bewegungen
in den siebziger Jahren wieder ein Herstellungsprozeß von freier Radiopraxis in
Gang.

Unter dem Begriff neue soziale Bewegung subsumiert Anita Hereth folgende Bewegungen:

"Alten- bzw. Seniorenbewegung, Alternativbewegung, Anti-Akw- bzw. Anti-
Atom Bewegung, Arbeitslosenbewegung, Behindertenbewegung, Frauenhaus-
bewegung, Friedensbewegung, Hausbesetzerbewegung, Jugendbewegung, Kin-
der(laden)bewegung, Landkommunenbewegung, Lesbenbewegung, Mieterbe-
wegung, Ökologie- bzw. Umweltbewegung, Psychobewegung, Schwulenbewe-
gung, Studentenbewegung." (Hereth 1996, S.17)

Die Aufzählung ist keineswegs vollständig und kann sicherlich noch fortgeführt
werden. In den letzten Jahren entstand eine starke soziale Bewegung der Antifaschi-
sten (Antifa) sowie eine Bewegung gegen Atomtransporte (Castor). Die neuen sozialen Bewegungen, so heterogen sie auch sind, entstammen einer linken "Subkultur"
(vgl. Schwendter 1993) und haben ein linkes, politisches und emanzipatorisches
Selbstverständnis. Allerdings hat sich in den letzten Jahren eine neue Rechte for-
miert, die zur Modernisierung ihrer rechten Ideologie Motive der neuen sozialen
Bewegungen aufgreift. Sie versuchen das Politikfeld Ökologie, welches nicht per se
links ist, von rechts zu besetzen. (vgl. Roth 1994, S.35) Es wäre möglich, rechtsradi-
kale Jugendgruppen als eine soziale Bewegung zu bezeichnen, wenn man die Definition des Bewegungsforschers Dieter Rucht zu Grunde legt:

"Eine soziale Bewegung ist ein auf gewisse Dauer gestelltes und durch kollektive Identität abgestütztes Handlungssystem mobilisierter Netzwerke von Gruppen und Organisationen, welche sozialen Wandel mit Mitteln des Protests- notfalls bis hin zur Gewaltanwendung - herbeiführen, verhindern oder rückgängig machen wollen." (Rucht 1994, S.76 u.77)[2]

Unter diese Definition könnte man auch die klassischen sozialen Bewegungen, wie z.b. die Arbeiterbewegung, subsumieren. Ferner beinhaltet diese Definition auch eine Gemeinsamkeit zwischen der Arbeiterbewegung und neuen sozialen Bewegungen. Jedoch sind im Unterschied zur Arbeiterbewegung die neuen sozialen Bewegungen ein zeitliches Phänomen. Sie sind in der Phase des wohlfahrtsstaatlichen Kapitalismus der 60er und 70er Jahre entstanden, zu dem sie eine ambivalente Haltung hatten. Desweiteren sehen sich die neuen sozialen Bewegungen nicht in der Tradition der Arbeiterbewegung, obwohl sich eine gewisse Kontinuität feststellen läßt. So ist das Politikverständnis ein emanzipatorisches, welches sich in den Vorstellungen des bürgerlichen Liberalismus und des demokratischen Sozialismus widerspiegelt.

"Demokratie von unten" war der Leitgedanke der neuen sozialen Bewegungen. (vgl. Rucht 1994, S.153) Dies steht im Gegensatz zu den Vorstellungen der bereits erwähnten, politisch rechts eingestellten Gruppen und Jugendlichen der rechten Subkultur, die als Konturen einer sozialen Bewegung in der Bundesrepublik Deutschland sichtbar werden. (vgl. Koopmans 1996, S.767-781) Legt man ein mehr oder weniger linkes Politikverständnis den neuen sozialen Bewegungen zugrunde, können rechte Gruppen meines Erachtens nicht unter den Begriff neue soziale Bewegungen subsumiert werden; zumal inhaltlich die Zielsetzungen der Gruppen der neuen sozialen Bewegungen unter dem Oberbegriff *"Emanzipation des Individuums"* gefaßt werden können. (vgl. Hereth 1996, S.24) Dieser emanzipatorische Ansatz steht im unauflösbaren Widerspruch zur völkisch rechten Ideologie. In dem *"Demokratie von unten"* Konzept stehen im politischen Zentrum der Politik die kompetenten Bürger und Bürgerinnen, die keinen "Führer"und keine politische Elite für ihre Belange brauchen und wollen. (vgl. Roth 1994, S.266)

Die Ablehnung einer politischen Elite ist auch ein Unterscheidungsmerkmal zu den marxistisch orientierten Studentengruppen, die sich im Zuge der Studentenbewegung

---

2 Ahnlich Joachim Raschke 1987, S.77

nach 1968 konstituierten und häufig einen elitären Avantgarde-Anspruch hatten. Außerdem kritisieren die neuen sozialen Bewegungen ein instrumentelles Politikverständnis. Menschen sollen als Subjekte gesehen werden, die sich nicht einer Organisation oder Partei unterordnen sollen. StellvertreterInnenpolitik wird abgelehnt, statt dessen sollen die Betroffenen direkt ihr Anliegen artikulieren. (vgl. Brand 1982, S.17) Das politisch instrumentelle Prinzip wird von vielen Gruppen der neuen sozialen Bewegungen abgelehnt. So lehnt die Feministische Bewegung eine instrumentelle Beziehung zwischen Männer und Frauen ab, in der Frauen den Männern nur als Objekte dienen. Die Ökologische Bewegung wehrt sich gegen eine ausbeuterische Beziehung zur Natur, und die AnhängerInnen der Basisdemokratie wollen keine manipulative, strategische Beziehung zwischen politisch aktiven Menschen. Das politische Anliegen soll von den politischen Akteuren selbst wahrgenommen werden und nicht an professionelle PolitikerInnen oder Verbandsfunktionäre delegiert werden. Diesen Anspruch haben auch Freie Radios:

> "Um miteinander zu reden braucht's keine Repräsentanten. Wenn einem was nicht paßt,(...) nimmt er das Mikrophon selbst in die Hand." (Busch 1981, S.88)

Die Definitionsmacht der JournalistInnen, die entscheiden welche Inhalte sendefähig und von politischer Bedeutung sind, wird rigoros in Frage gestellt. Die politische Grenzziehung von Privatheit und Öffentlichkeit und die damit verbundene Vorstellung, die Sphäre der Öffentlichkeit sei politischer als die Privatsphäre, wird aufgehoben.

Das Private ist politisch und umgekehrt. Dies ist der Leitsatz eines emanzipatorischen Politikverständnisses, in dem es keine politikfreien gesellschaftlichen Räume gibt. Die neuen sozialen Bewegungen propagieren eine andere Lebensweise, in der der Mensch losgelöst von gesellschaftlichen Zwängen im Mittelpunkt steht. Es werden kulturelle Alternativen in allen Lebensbereichen aufgezeigt, in denen anders mit der Zeit, dem eigenen Körper, dem anderen Geschlecht umgegangen wird. Der politische Rahmen wird erweitert und zeigt somit den Subjekten Handlungsmöglichkeiten auf. (vgl. Roth 1994 S.29)

Das Konzept der Selbstorganisation bildet dabei das Fundament der neuen sozialen Bewegungen. Im Konzept der Selbstorganisation hat das Individuum viel mehr

Spielraum, sich selbst einzubringen, als in Institutionen oder Verbänden und Partei-en. Deshalb bezeichnete sich die Partei *"Die Grünen"*, die aus den neuen sozialen Bewegung heraus entstanden ist und in ihrer Anfangsphase noch Bewegungspartei war, am Beginn ihrer Parteigeschichte noch als "Antipartei". (vgl. Roth 1994, S.230 u. Raschke 1993)

Kein Parteiprogramm, keine Geschäftsordnungsregeln und formalisierte Kommuni-kationsformen sollen den Rahmen der politischen Tätigkeit in den neuen sozialen Bewegungen vorgeben. Die Aktiven der neuen sozialen Bewegungen entscheiden selbst, welche Themen bearbeitet werden sollen und was die genaue Zielsetzung ist. Das Gruppenleben sowie die Arbeitsweise wird selbstgestaltet und unterliegt keinen Vorgaben. Anita Hereth zeigt auf, daß diese Vorgehensweise einzelne Individuen befähigt, an Lernprozessen teilzunehmen, die weitaus komplexer sind als z. B. Bil-dungsprozesse im institutionalisierten Bildungsbereich:

> "Selbstorganisierte Gruppen ermöglichen im Vergleich zu organisierten Grup-pen, aufgrund ihrer Organisationsform und der dadurch erweiterten Möglich-keiten zur Selbstthematisierung und das sich selbst in Frage stellens, in beson-derem Maße spezifische Lernprozesse der Gruppe als Ganzes und des einzel-nen. Die Mitglieder können nicht nur Fachkompetenz erwerben, sondern auch individuelle soziale Kompetenzen, um die Lern-, Reflexions- und Selbststeue-rungspotentiale und damit die Existenz der Gruppe zu sichern." (Hereth 1994, S.25)

Die Erfahrung der Selbstorganisation konnten die Aktiven der neuen sozialen Bewe-gungen schon in den Bürgerinitiativen und in der Spontibewegung sammeln, die vor den großen Massenbewegungen wie der Anti-AKW-Bewegung (70er Jahre) oder der Friedensbewegung gegen die Stationierung amerikanischer Atomraketen (80er Jahre) agierten und sich für soziale und politische Veränderung engagierten. Auf diese Or-ganisationserfahrung konnten die neuen sozialen Bewegungen zurückgreifen. Die Bürgerinitiativen nahmen ihre Interessen selbst wahr und delegierten sie nicht an StellvertreterInnen. (vgl. Haasken 1986, S.72)

Dieses politische Selbstverständnis hatte auch die alternative Medienproduktion. In den Massenmedien fühlten sich die neuen sozialen Bewegungen mit ihrem Anliegen unterrepräsentiert oder nicht authentisch wiedergegeben.

"Atomkraftgegner konnten sich nicht ausreichend öffentlich artikulieren. Die veröffentlichte Meinung der bürgerlichen Medien war beinahe ausschließlich für die Nutzung der Atomindustrie (...) So wie Flugblätter, Fotos, kleine Zeitschriften, eigene Lieder und Super 8 Filme für den Anit-Atomkampf in Gebrauch genommen wurden, versuchte man es auch mit dem Radio." (Grieger 1987, S.27)

Aber nicht nur AtomkraftgegnerInnen hatten in Bezug auf die Berichterstattung erhebliche Differenzen mit den Darstellungsformen von Ereignissen in den etablierten Medien. Neben den Aktiven der neuen sozialen Bewegungen hatten auch Teile der Jugendkultur die Erfahrung gemacht, daß oft klischeehaft und verfälschend über sie berichtet wurde. Linke Medienaktivisten in Freiburg kritisierten die örtliche Monopolzeitung, die nach ihrer Ansicht bei Konflikten zwischen der Alternativbewegung und der Polizei einseitig berichtete. So sei in der Berichterstattung über die "polizeilichen Übergriffe" gegen Punker im Jahre 1986 nur aus der Sicht der Polizei oder gar nicht berichtet worden. (vgl. Grieger 1987, S.13) Mit einem Freien Radio hätten die jugendlichen Punks die Möglichkeit, ihre Sicht der Dinge unzensiert und ungefiltert über den Sender zu bringen.

Die Aktivisten der neuen sozialen Bewegungen warteten nicht, bis es medienrechtlich Möglichkeiten und Institutionen der partizipatorischen BürgerInnenbeteiligung im Rundfunkwesen gab. (z.B. Offene Kanäle,[3] Bürgerfunk,[4] legalisierte nichtkommerzielle Freie Radios) Sie schufen sich illegale Radiosender, um nicht nur RezipientInnen zu sein, sondern die Möglichkeit zu haben, ohne Zensur ihre Anliegen über den Rundfunk kundzutun.

---

3 Offene Kanäle (OK) gibt es in der Bundesrepublik Deutschland seit 1984. Zuerst als Teil der Kabelpilotprojekte in Ludwigshafen, Dortmund und Berlin. Im Vergleich zu den Freien Radios, die von unten entstanden sind, wurden die Offenen Kanäle von oben verordnet. Die Freien Radios sahen die OK als Akzeptanzförderung der neuen Medienpolitik der damaligen Bundesregierung. Die OK bieten auch BürgerInnenbeteiligungen im Hörfunk und Fernsehen an. Auch in diesem Modell soll die Trennung von Konsument und Produzent aufgehoben werden. (vgl Grieger 1995, S. 12 - 17)

4 Der Bürgerfunk ist eine Form der BürgerInnenbeteiligung am Hörfunk in Nordrhein-Westfalen. Die privaten, kommerziellen Hörfunkveranstalter müssen 15% der Lokalfunksendezeit nichtkommerziellen Radiogruppen zur Verfügung stellen. Diese haben dann die Möglichkeit, als Fenster auf der terrestrischen kommerziellen Lokalfunkfrequenz ihr Programm auszustrahlen.

1.3 Vom Bewegungsradio zur Institution

Die Proteste der neuen sozialen Bewegungen wurden häufig von illegal sendenden Piratensendern mitgetragen. Vor allem an den Aktionen der Anti-Atomkraftbewegung waren oft illegal sendende Radiostationen beteiligt. Bei der Anfahrt zur Demonstration gegen das Atomkraftwerk Grohnde 1977 fuhr ein UKW-Sender im Auto mit. Der Sender gab den anreisenden DemonstrantInnen die neuesten Meldungen über Polizeisperren durch. (vgl. Busch 1981, S.188) Am 1. Mai 1980 besetzten in Gorleben 5000 AtomkraftgegnerInnen die geplante Tiefbohrstelle 1004 und errichteten ein Hüttendorf. (vgl. Haasken 1986, S.68) Bei diesen Anti-Akw Aktionen war das "Freie Radio Wendland" zu hören. Damit war das Radio fester Bestandteil der von den AtomkraftgegnerInnen ausgerufenen "Republik Freies Wendland". Als das Hüttendorf auf dem Bauplatz der Tiefbohrstelle 1004 am 4. Juni 1980 von der Polizei geräumt wurde, war das Widerstandsradio von sieben Uhr morgens an auf Sendung. (vgl. ebd. S.252)

Die Anti-Atomkraftbewegung war der historische Hintergrund des inzwischen legalisierten nichtkommerziellen freien Lokalradios "Radio Dreyeckland" (RDL) in Freiburg. Dieses Radio entstand im Kampf gegen das Atomkraftwerk Fessenheim im Elsaß. Aus dem Anti-AKW-Sender "Radio Verte Fessenheim" entwickelte sich das Radio Dreyeckland mit verschiedenen Redaktionen im Elsaß (Frankreich), Basel (Schweiz) und Freiburg (Deutschland). Deshalb der Name "Radio Dreyeckland".

Aber nicht nur die Anti-Atomkraftbewegung hatte eigene Sender, die Proteste gegen den Frankfurter Flughafenausbau (Startbahn-West) wurden von einem Radio namens "Luftikus" unterstützt. Im Kontext von politischen Aktionen der neuen sozialen Bewegungen agierten Freie Radios folglich als klassische Aktionsradios. Auch einige der institutionalisierten, legal sendenden nichtkommerziellen freien Radios in Baden Württemberg wirkten aktiv als Aktionsradios bei den Protesten gegen die Castor-Transporte nach Gorleben und Ahaus 1997 und 1998 mit. Das Freie Radio Stuttgart sendete live vor den Toren des Atomkraftwerkes Neckarwestheim und berichtete parteiisch von den Protesten gegen die Atomtransporte.

Der Höhepunkt der Freien Radios als politisches Aktionsradio wurde zweifelsohne in den siebziger Jahren erreicht. In Berlin gab es Anfang 1975 den Piratensender "Unfreies Berlin", der vor allem die Jugendarbeitslosigkeit und die Frage von Fahrpreiserhöhungen thematisierte. (vgl. Busch 1981, S.136)

Das Sendegebiet Freier Radios war nicht nur auf Großstädte beschränkt. Auch in vielen Kleinstädten sendeten illegal RadiomacherInnen. In Heidelberg strahlte von 1977 - 1979 "Radio Jessica" unregelmäßig halbstündige Sendungen aus. "Radio Paranoia" sendete in Offenburg. Gesendet wurde von "Radio Stollwerk" in Köln, "Radio Schlappmaul" in Frankfurt, "Radio Zebra" in Bremen "Radio Pflasterstein" in Göttingen", "Radio Fledermaus" in Münster. Auch in Wuppertal, Schwäbisch Gmünd, Aachen, München, Passau und Bielefeld gab es illegal sendende Freie Radios. (vgl. Busch 1981, S.156-289 u. Network-Medien-Cooperative 1983, S.132-142)

Die Freien Radiogruppen in der Bundesrepublik begannen sich zu vernetzen und bei einem Treffen in Freiburg im Herbst 1981 traten sie mit den *"Freiburger Thesen"* an die Öffentlichkeit.

Erklärung der Freien Radios

-Wir fordern, daß alle Personen und Gruppen die Möglichkeit haben, über Probleme und Auseinandersetzungen, die sie betreffen, Sendungen in Freien Radios zu machen und auszustrahlen. Dies soll ohne Ermächtigung, Kontrolle oder Zensur durch Staat, Parteien, Verbände oder Kommerz geschehen. Vorrang haben dabei solche Personen und Gruppen, die normalerweise in den Medien kaum oder nicht zu Wort kommen.
-Freie Radios sind kein Privateigentum, sondern unterliegen der Verfügung aller aktiven HörerInnen (z.B. HörerInnen-Versammlung), wodurch eine direkte gesellschaftliche Kontrolle gewährleistet ist. Parteien und Verbände können daher kein freies Radio betreiben.
-Freie Radios wenden sich gegen kommerzielle Werbung oder Parteipropaganda sowie gegen jede Art der Vermarktung von Nachrichten oder Handel mit Programmen.
-Freie Radios haben ihren Wirkungsbereich im lokalen und regionalen Raum. Ihre Sendeleistung ist entsprechend begrenzt. Das ermöglicht die Einrichtung von vielen unabhängigen lokalen und regionalen Sendern mit direktem Zugriff durch die HörerInnen.
-Die Freien Radios erarbeiten die technischen und organisatorischen Regeln ihrer störungsfreien Zusammenarbeit selbst einschließlich der Verteilung von Frequenzen, Sendeleistungen und Sendezeiten.
-Die Freien Radios können aufzeigen, was im öffentlich-rechtlichen Rundfunk schon alles durch Anpassung an Staat, Parteien und Kommerzialisierung abgeschnitten worden ist. Insoweit können freie Radios die MitarbeiterInnen in den Anstalten unterstützen, die sich den aufrechten Gang bewahrt haben.
-Wir warten nicht darauf, daß irgend jemand unsere Wünsche erfüllt, wir haben schon mal angefangen.

Freiburg, im Herbst 1981

aus: Grieger, Karlheinz/Kollert, Ursi/Barnay, Markus (Hg.): Zum Beispiel RadioDreyeckland. Wie freies Radio gemacht wird. Freiburg 1992

Mit der Deklaration der *"Freiburger Thesen"* wurde aus den Piratensendern der neuen sozialen Bewegungen eine eigenständige soziale Bewegung, die medienpolitische Forderungen erhob und eigene Frequenzen für Freie Radios forderte.

Der Bewegungsforscher Dieter Rucht entwarf ein Charakteristikum mit einigen Merkmalen, die typisch für die neuen sozialen Bewegungen sind:

> "In organisatorischer Hinsicht bevorzugen sie dezentrale, hohe Autonomie gewährende Strukturen und tendieren damit zu lockeren Netzwerken an Stelle von straffen und hierarchischen Bewegungsorganisationen." (Rucht 1994, S.154)

Bei Anwendung des Charakteristikums auf die freie Radiobewegung ist festzustellen, daß die Organisationsform der freien Radio Bewegung der einer neuen sozialen Bewegung entspricht.

Das Netzwerk der Freien Radio Szene war mehr als locker, oftmals waren es nur dünne Fäden, die die Freien RadiomacherInnen miteinander bundesweit verbanden. Es gab zwar ab und zu einige lose Treffen der RadioaktivistInnen, aber erst nach einer Renaissance der freien Radiobewegung Anfang der 90er Jahre wurde 1993 in Hattingen der Bundesverband Freier Radios gegründet. (vgl. Günnel 1995, S.61) Daß es erst so spät zur Gründung einer bundesweiten Bewegungsorganisation kam, hing mit dem Niedergang der freien Radiobewegung der siebziger und achtziger Jahre zusammen. Das Schrumpfen der Radiobewegung korreliert mit der Regression der neuen sozialen Bewegungen. So konstatiert "Radio Querfunk" aus Hamburg in der Bewegungszeitung *Graswurzelrevolution* im Juni 1984:

> "Die Leute greifen die Idee Freier Radios nicht stark auf, vielleicht verspüren sie auch nicht das Bedürfnis, weil sie nicht das Zutrauen haben, zu sagen, ja auch meine Meinung ist wichtig. Wir sind Bewegungsradio. Wenn nichts in Bewegung ist, können wir sie weder mit einem Radio noch mit einer Zeitung erschaffen." (Graswurzelrevolution, zit.n.Grieger 1987, S.33)

Einige Radiogruppen versuchten, den Weg der Legalisierung zu gehen, um der staatlichen Repression zu entgehen und eine freie Radiopraxis zu ermöglichen. Man wollte einen freien Zugang zum Sender schaffen und das Radio als Kommunikationsmedium nutzen, was in der Illegalität nur eingeschränkt möglich ist. Andere Radiogruppen grenzten sich von legal geführten Radiostationen ab.

Das Freie Radio Zebra aus Bremen meldete sich in der damals noch alternativen Tageszeitung *"taz"* aus Berlin zu Wort:

"Unsere Ebene ist nicht die Legalisierung, sondern den Äther zu nehmen. Wir haben nicht die Macht, den Kommerzfunkern etwas vorzuschreiben. Wir haben keine Illusionen, daß wir mit einer Legalisierungskampange so ein bißchen von dem durchsetzen könnten, was wir unter Freiem Radio verstehen. Da Energie reinzustecken, wäre reine Verschwendung...Wenn die Bewegung stark ist, kann auch das Radio stark sein..." (taz v.6.1.1983 zit.n. Grieger 1987, S.33)

Ein weiteres Merkmal der Charakteristik des Bewegungsforscher Dieter Rucht über neue soziale Bewegungen bezieht sich auf die Strategie zur Durchsetzung politischer Interessen.

"In strategischer Hinsicht orientieren sie sich an einem reformistischen Kurs, der sowohl an strukturellen als auch persönlichen Veränderungen ansetzt, und dabei Ziel und Weg, Inhalt und Form möglichst in Einklang zu bringen sucht." (Rucht 1994, S.154)

Auch hier ergeben sich Parallelen zur freien Radiobewegung. Sie trat immer mit medienpolitischen Forderungen an die Öffentlichkeit und wollte die Struktur des Rundfunkwesens verändern. Es bestand Konsens bei der Forderung nach eigenen Frequenzen und der Ablehnung des kommerziellen Privatfunks. Um dieser Forderung Gehör zu verschaffen, wurden Freundeskreise in Vereinsform gegründet, um die illegal sendenden RadiomacherInnen der Piratensender legal zu unterstützen. Das erste legalisierte Freie Radio in der Bundesrepublik war das "Radio Dreyeckland'" (RDL) in Freiburg. Dies war unter anderem nur möglich, weil die Freiburger HörfunkerInnen von der Schweiz und von Frankreich aus ihr Programm nach Freiburg ausstrahlen konnten und sich somit der Strafverfolgung durch die deutschen Behörden entzogen. Hinzu kam die gesetzliche Möglichkeit, als Privatfunkveranstalter Rundfunk zu betreiben, weil am 1. Januar 1984 in Ludwigshafen (Rheinland Pfalz) der erste Pilotversuch unter privater Beteiligung startete. Dies war der Start des dualen Rundfunksystems, das aus zwei Säulen besteht, dem öffentlich-rechtlichen Rundfunk und den privaten kommerziellen Rundfunksendern. (vgl. Sturm 1996, S.11 u.22) Aufgrund der Novellierung der Mediengesetze, die nun auch privaten Anbietern erlaubten, Rundfunkstationen zu betreiben, bestand auch für RDL die formaljuristische Möglichkeit, eine eigene Frequenz zu beantragen und somit eine dritte Säule, den nichtkommerziellen Rundfunk, in der Form eines Freien Radios zu etablieren. Um ein Freies "Radio Dreyeckland" politisch durchzusetzen, demonstrierten tausende Menschen auf den Straßen Freiburgs. Im April veranstaltete RDL mit einer öffentlichen Frequenzbesetzung und einer Veranstaltungsreihe den "Freiburger Radiofrühling". (vgl. Grieger 1987, S.22) Nach jahrelangen politischen Auseinandersetzungen bekam RDL eine eigene Sendelizenz und sendet seit dem 23. November 1988 legal auf der Frequenz 102,3 Mhz. in Freiburg. (vgl. Radio Dreyeckland 1991, S.6)

Es folgten in den darauffolgenden Jahren nichtkommerzielle Sender in Nürnberg (Radio Z) und in Berlin (Radio 100). Die Berliner RadiomacherInnen mußten aufgrund von finanziellen Schwierigkeiten den Sendebetrieb inzwischen einstellen. In anderen Städten gab es kaum noch Radiogruppen. Die freie Radiobewegung als neue soziale Bewegung war faktisch nicht mehr existent. Erst nach dem Zusammenbruch der DDR konstatiert Joseph Dreier eine Renaissance der freien Radiobewegung in Deutschland.

"Sehr schnell war klar geworden, daß in den neuen Bundesländern das Rundfunksystem der Altländer etabliert werden sollte, das die spezifischen Interessen der Bürgerinnen und Bürger der ehemaligen DDR wenig, die kommerziellen Interessen großer Medienkonzerne umso mehr berücksichtigte. Gleichzeitig hatte die kurze Zeit der relativen Anarchie im Äther bei Jugendradio DT 64 vielen gezeigt, was Rundfunk sein kann, wenn er frei von politischen Zensoren und kommerziellen Interessen ist. Überall bildeten sich Freundeskreise von DT 64. Einige begannen mit Piratenfunk zu experimentieren." (Dreier 1995, S.325)

So gab es, laut der Sächsischen Anstalt für privaten Rundfunk, im Sommer 1992 im Regierungsbezirk Dresden und Chemnitz an die 40 lokale illegale Radiosender. (vgl. Sturm 1996, S. 28) Radio Dreyeckland in Freiburg hatte sich zu diesem Zeitpunkt schon zur Institution entwickelt, mit zum Teil bezahlten Stellen und Geschäftsführung, aber immer noch werbefrei und mit basisdemokratischem Anspruch. Der Freiburger Sender leistete Geburtshilfe bei den anderen legalen nichtkommerziellen Radiostationen in Baden-Württemberg. Die RadiomacherInnen aus den in der ganzen Bundesrepublik neu entstandenen Radioinitiativen trafen sich 1992 nochmals in Freiburg und hielten einen *"Ratschlag-Kongreß"* ab, um sich erneut zu vernetzen, auszutauschen und eigene Frequenzen zu fordern. (vgl. Schrecker 1992, S.6-8) Es ist zu konstatieren, daß die neue Radiobewegung heterogener und vielfältiger ist als die Piratenfunker der 70er und 80er Jahre.

Nicht nur linke Politaktivisten wollen das Radio nutzen, sondern auch avantgardistische Kultur- und Musikgruppen entdecken das Medium für sich. Ob KrankenhausfunkerInnen, Uniradioinitiativen oder Stadtteilradiogruppen. Sie alle sind unzufrieden mit der bestehenden Medienlandschaft und möchten das Radio kreativ nutzen. (vgl. Dreier 1995, S.325)

Trotz des Pluralismus der Radiogruppen der neunziger Jahre existieren Verbindungslinien zu den Piratensendern der siebziger und achtziger Jahre. So gibt es kaum nennenswerte Unterschiede zwischen der *"Freiburger Erklärung"* von 1981 und der *"Charta des Bundesverbandes Freier Radios"*, die in Hannover am 22. Mai 1994 verabschiedet wurde und bis heute Gültigkeit hat.

Charta des Bundesverbandes Freier Radios

I. Grundsätze der Freien Radios

1. Offenheit
Die Freien Radios geben allen Personen und Gruppen die Möglichkeit zur unzensierten Meinungsäußerung und Informationsvermittlung. Vorrang haben dabei solche Personen und Gruppen, die wegen ihrer gesellschaftlichen Marginalisierung oder sexistischen oder rassistischen Diskriminierung in den Medien kaum oder nicht zu Wort kommen.

2. Gemeinnützigkeit
Freie Radios sind kein Privateigentum, sondern unterliegen der Verfügung aller aktiven HörerInnen. Das Prinzip der Gemeinnützigkeit muß gewährleistet sein. Parteien können kein Freies Radio betreiben.

3. Transparenz
In Freien Radios sind die interne Organisation und die Auswahlkriterien für Sendeinhalte durchschaubar und nachprüfbar. Freie Radios sind kollektiv verwaltet. Durch ihre Programme zeigen Freie Radios gesellschaftliche Zusammenhänge auf, die in herkömmlichen Medien nicht aufgedeckt werden.

4. Nichtkommerzialität
Freie Radios sind nicht gewinnorientiert. Sie lehnen kommerzielle Werbung ab. Die redaktionelle Arbeit ist ehrenamtlich. Die programmliche Unabhängigkeit und der freie Zugang zum Radio muß gewährleistet sein.

5. Lokalbezug
Freie Radios verstehen sich als Kommunikationsmittel im lokalen und regionalen Raum. Dies schließt die Auseinandersetzung mit überregionalen Themen mit ein. Freie Radios arbeiten aktiv zusammen, z.B. durch Programmaustausch

6. Wirkung
Freie Radios fördern eine selbstbestimmte solidarische Gesellschaft. Sie treten für Gleichberechtigung, Menschenwürde und Demokratie ein.

II. Forderungen der Freien Radios

1. Jedes Freie Radio hat das Recht auf eine eigene lokale Frequenz. Dies ist in der Mediengesetzgebung der einzelnen Bundesländer zu berücksichtigen.

2. Da Freie Radios öffentliche Aufgaben erfüllen, haben sie einen Rechtsanspruch auf öffentliche Förderung. Dies betrifft vor allem die technischen Übertragungsmöglichkeiten. Bezüglich der Urheberrechte genießen die Freien Radios einen Sonderstatus, der ihrem nichtkommerziellen Charakter entspricht.

3. MitarbeiterInnen der Freien Radios haben das Recht auf Zugang zu allen Informationen und genießen rechtlichen Schutz im Sinne des Presserechts.

4. Bei Erarbeitung von Gesetzen, Gesetzesänderungen und internationalen Verträgen, die das Medien- und Fernmeldewesen betreffen, haben die VertreterInnen der Freien Radios das Recht auf Mitsprache und Mitbestimmung.

Hannover, am 22. Mai 1994

aus: *Dorer, Johanna u. Baratsits, Alexander(Hg.): Radiokultur von margen. Wien 1995,. S.329*

Die meisten nichtkommerziellen Radios gibt es in Baden Württemberg. Inzwischen hat der dortige Gesetzgeber erkannt, daß Freie Radios eine wichtige gesellschaftliche und medienpädagogische Funktion haben. Deshalb wurde dort die juristische Möglichkeit für partizipatorische Ansätze im Rundfunkbereich geschaffen. (vgl. Frahm 1996, S.3-5)

§ 27,2 des Landesmediengesetzes von Baden-Württemberg lautet:

"Die Landesanstalt kann einzelne Übertragungskapazitäten nach §7 Abs. 2 Satz 1 auch vorrangig für Antragssteller ausschreiben, die mit der Programmveranstaltung keinen wirtschaftlichen Geschäftsbetrieb bezwecken und rechtlich die Gewähr dafür bieten, daß sie unterschiedlichen gesellschaftlichen Kräften Einfluß auf die Programmgestaltung, insbesondere durch Einräumung von Sendezeiten für selbst gestaltete Programmbeiträge gewährleisten." (LMG 1995, S.14)

Aufgrund dieses Paragraphen war es möglich, daß nichtkommerzielle Freie Radios sich institutionalisieren konnten und in Freiburg, Freudenstadt, Karlsruhe, Schopfheim, Schwäbisch Hall, Stuttgart, Tübingen und Ulm auf einer eigenen Radiofrequenz senden können.[5] Doch nicht nur im Süden der Republik (Bayern, Baden-Württemberg) senden legale Freie Radios. Institutionalisierte nichtkommerzielle Radiostationen, die sich als Freie Radios verstehen, sind inzwischen in Hamburg, Niedersachsen, Hessen, und Sachsen lizensiert.

Es gilt festzuhalten, daß das duale Rundfunksystem der zwei Säulen öffentlich-rechtlicher Rundfunk und kommerzieller privater Rundfunk, in weiten Teilen der Bundesrepublik Deutschland nicht mehr existent ist. Die Tendenz geht in Richtung Drei-Säulenmodell, mit dem nichtkommerziellen Rundfunk als dritter Säule in der Medienlandschaft. (vgl. Dorer 1995, S.101-131)

---

5 An einigen der Standorte wurde die Frequenz zwischen mehreren Bewerbern mit unterschiedlichen Sendezeiten von drei Stunden/ Woche bis zu 166 Stunden/ Woche aufgeteilt. Frequenzsplitting gibt es in Tübingen (Wüste Welle, Uni Welle, Helle Welle), Ulm (Radio Free FM, Radio Canale Grande), Karlsruhe (Querfunk, AG Lernradio) und in Stuttgart, wo neben dem Förderverein für ein Freies Radio ein griechischer Veranstalter ein zweistündiges Fenster erhalten hat.

2. Medientheoretischer Bezugsrahmen alternativer Öffentlichkeit

2.1 Alternative Nutzung von Öffentlichkeit

Einen starken Impetus für die alternative Nutzung von Öffentlichkeit gab Hans Magnus Enzensberger mit seinem 1970 erschienenen Aufsatz im Kursbuch 20 *"Baukasten zur einer Theorie der Medien"*. Für Enzensberger ist die Kulturindustrie, ähnlich wie bei Horkheimer/Adorno in der *"Kritischen Theorie"*, manipulativ. Die beiden Theoretiker der Frankfurter Schule[6] entwarfen eine Medientheorie, in der die Kulturindustrie und die dazugehörige Medienproduktion als Massenmanipulationsinstrument angesehen werden. Hinter der Medienproduktion steht eine Geschäfts-Ideologie, die gleiche Bedürfnisse erzeugt, welche mit Standardgütern beliefert werden können. Eine weitere Funktion der Kulturindustrie beinhaltet das Fördern des Amusements, um die Reproduktion von Lohnarbeit zu gewährleisten. Adorno und Horkheimer betrachten die Kulturindustrie als einen totalitären Bestandteil einer kapitalistischen Wirtschaftsordnung. Die Kulturindustrie erzeugt eine Massenkultur, die, so facettenreich sie auch erscheinen mag, letztendlich gleich ist. Deshalb sehen die beiden Wissenschaftler in einer kapitalistischen Gesellschaft überhaupt keine Emanzipationsmöglichkeit der Medien, und somit sind auch keine gesellschaftlichen Bedingungen vorhanden, um eine alternative mediale Öffentlichkeit herzustellen. Es gibt nicht einmal, laut Horkheimer/Adorno Nischen dafür:

"Alle Massenkultur unter Monopol ist identisch." (Horkheimer/Adorno 1993 S.128)

Hier zeigt sich trotz des gleichen Ausgangspunktes ein wesentlicher Unterschied zu Enzensbergers medientheoretischem Ansatz, der mit einer emanzipatorischen Medienproduktion einen Ausweg aus der Totalität der Manipulation der Massenmedien aufzeigen möchte.

---

6 Die Frankfurter Schule ist eine philosophische Denkrichtung, die mit dem Marxismus verbunden ist. Der Name bezieht sich auf das Institut für Sozialforschung, das 1923 in Frankfurt am Main gegründet worden ist und 1933 dann nach Genf, später in die USA emigrieren mußte. Im Jahre 1950 kehrte das Institut nach Frankfurt zurück. Prominente Vertreter der Frankfurter Schule sind Max Horkheimer, Theodor Wiesengrund Adorno, Herbert Marcuse und Jürgen Habermas.

Sein Ansatz bietet die Möglichkeit, die Medien als Instrument für gesellschaftliche sowie individuelle Emanzipation zu nutzen. Enzensberger plädiert deshalb, wie Brecht in seiner "Radiotheorie" für einen anderen Umgang mit Medien. Er unterscheidet zwischen einem repressiven und einem emanzipatorischen Mediengebrauch:

Repressiver Mediengebrauch	*Emanzipatorischer Mediengebrauch*
Zentral gesteuertes Programm	Dezentralisierte Programme
Ein Sender, viele Empfänger	Jeder Empfänger ein potentieller Sender
Immobilisierung isolierter Individuen	Mobilisierung der Massen
Passive Konsumentenhaltung	Interaktion der Teilnehmer, feedback
Entpolitisierungsprozeß	Politischer Lernprozeß
Produktion durch Spezialisten	Kollektive Produktion
Kontrolle durch Eigentümer oder Bürokraten	Gesellschaftliche Kontrolle durch Selbstorganisation

aus: Enzensberger, Hans Magnus: Baukasten zu einer Theorie der Medien. In: Kursbuch. Frankfurt a.M., 1970 S. 173

Im medientheoretischen Ansatz von Enzensberger sind die Medien nicht nur Konsumptionsmittel, sondern zugleich auch Produktionsmittel, die emanzipatorisch genutzt werden können. Mit der Benennung der emanzipatorischen Möglichkeiten der Medienproduktion haben Bertolt Brecht und Walter Benjamin in den zwanziger Jahren sowie Hans Magnus Enzensberger in den siebziger Jahren die Basis einer aktiven Medienarbeit geschaffen, die sowohl in den freien Lokalradios zum Ausdruck kommt als auch in der kritisch-emanzipatorischen, handlungsorientierten Medienpädagogik anzutreffen ist. Für die politische orientierte Linke und die neuen sozialen Bewegungen bot dieser medientheoretische Ansatz eine Möglichkeit, alternative Öffentlichkeit medial herzustellen und somit den Kampf für die Veränderung der Gesellschaft auch auf mediale Weise fortzuführen. Es ging darum, die individuellen Erfahrungswelten nicht isoliert zu sehen, sondern sie zu kollektivieren und in Beziehung zu einer politischen Praxis zu setzen. (vgl. Stamm 1988, S.263) Deshalb wurde angestrebt, etablierte bürgerliche Medien nicht einfach zu kopieren, sondern eine alternative Öffentlichkeit zu verwirklichen, in der die politischen Vorstellungen der neuen sozialen Bewegungen (Gleichheit, Partizipationsmöglichkeit und Authentizität der Akteure) ihren Platz finden. Diese Wesensmerkmale der alternativen Öffentlichkeit wurden entscheidend in ihren Grundzügen von Jürgen Habermas und Alexander Kluge/Oskar Negt entwickelt.

2.2 Gleichheit und Partizipationsmöglichkeiten anhand des Modells der "klassisch-liberalen Öffentlichkeit" bei Jürgen Habermas

Wichtige Impulse für die Begrifflichkeit einer alternativen Öffentlichkeit unter den Gesichtspunkten der Gleichheit und der Partizipationsmöglichkeit lieferte Jürgen Habermas mit seiner 1962 erschienenen Habilitationsschrift *"Strukturwandel der Öffentlichkeit".* Habermas zeigt im historischen Kontext der englischen, französischen und deutschen Entwicklung des 18. und frühen 19. Jahrhunderts eine klassisch-liberale Öffentlichkeit auf, in der die Bürger sich als räsonierendes Publikum betätigen konnten. Während in der vorbürgerlichen Periode eine "repräsentative Öffentlichkeit" vorherrschte, bei der das Volk nur die Kulisse für die Herrschaftsstände (Adelige, kirchliche Würdenträger, Könige usw.) bildete, gab es in der "bürgerlichen Öffentlichkeit" für das sich emanzipierende Bürgertum eine Sphäre der Öffentlichkeit, in der die bürgerlichen Interessen dargestellt und diskutiert werden konnten. (vgl. Habermas 1991, S.17 u S.80-82)

Zum räsonierenden Publikum gehörten die bürgerlichen Stände, Geschäftsleute und Akademiker. Sie alle waren gebildet und gehörten einem Lesepublikum an, welches sich in den literarischen Salons, Tischgesellschaften und Kaffeehäusern zur Diskussion traf. Aus der literarischen Öffentlichkeit ging eine politische Öffentlichkeit hervor, die einen Diskurs auf Grundlage der Vernunft führte, was somit eine diskursive Willensbildung zur Folge hatte. (vgl. ebd. S.80, 92, 96 u.118)

Die diskursive Willensbildung ist ein zentraler Baustein der kommunikationstheoretischen Schriften von Jürgen Habermas. Die Grundlage bildet

> "das Verständnis von politischer Praxis, welches im Zeichen von Selbstbestimmung und Selbstverwirklichung steht und das Vertrauen auf den vernünftigen Diskurs, an dem sich jede politische Herrschaft legitimieren soll." (Habermas 1994, S.185)

Im Rahmen der "liberalen bürgerlichen Öffentlichkeit" bilden die Privatleute das Publikum und haben die Möglichkeit, in einer Arena zu kommunizieren, in der die ökonomischen Abhängigkeiten, Ansehen und Status der Person, Macht der Ämter und Gesetze des Staates außer Kraft gesetzt werden. Nur die rationale Argumentation soll von Bedeutung sein. (vgl. Habermas 1991, S.97) Auch wenn der "klassisch-bürgerliche Öffentlichkeitsanspruch" in den Salons, Kaffeehäusern und Tischgesellschaften nicht vollständig eingelöst wurde, so ist er dennoch als Idee institutionalisiert worden. Da er als objektiver Anspruch gesetzt wurde, war er, wenn auch nicht vollständig verwirklicht, so doch wirksam gewesen. In dem Modell "liberaler bürgerlicher Öffentlichkeit" im Sinne von Habermas gibt es ein Postulat der Gleichheit, das in der diskursiven Willensbildung der neuen sozialen Bewegungen mit ihrem basisdemokratischen Politikkonzept genauso zu finden ist wie in den Redaktionsstatuten der nichtkommerziellen Freien Radios:

"1. Die Wüste Welle ist ein freies, nichtkommerzielles Radio für die Region Tübingen/Reutlingen. Die Wüste Welle ist basisdemokratisch und selbstverwaltet organisiert. Die Wüste Welle wendet sich gegen jede Art von Unterdrückung und will dies auch in eigenen nicht hierarchischen Strukturen umsetzen. Auch subtile Unterdrückungsformen in den eigenen Reihen (z.B. Bevormundung, persönliche Diskriminierung oder Mißbrauch rhetorischer Fähigkeiten) sollen erkannt und bekämpft werden.
Die Wüste Welle fordert Diskussionsprozesse, Meinungsäußerung und Informationsvermittlung (...)" (Redaktionsstatut des Freien Radios für Tübingen/Reutlingen Juni 1995)

Ein weiteres wichtiges Merkmal des von Habermas normativ gesetzten Öffentlichkeitsbegriffs, ist die offene Zugangsmöglichkeit zur politischen Öffentlichkeit ohne Ausschluß von gesellschaftlichen Gruppen. In Orientierung am Marxschen Ansatz zur Analyse bürgerlicher Gesellschaftlichkeit (vgl. u.a. Marx/Engels 1971, Bd.13 S.8 u. 9) arbeitet Habermas heraus, daß in einer Klassengesellschaft die gleichberechtigte Teilnahme am politischen Diskurs nicht gegeben ist. (vgl. Habermas 1991, S.203) Zur politischen Öffentlichkeit gehörte Besitz und Bildung, dies konnte ein Großteil der Bevölkerung nicht erwerben. Hinzu kam noch der Ausschluß von Frauen, der im Vergleich zum Ausschluß der unterprivilegierten Männer eine strukturbildende Kraft hatte. Dies ist die These der englischen Feministin Carol Pateman, der Habermas in seinem fünfzig Seiten starken Vorwort zur Neuauflage 1990 von *"Strukturwandel der Öffentlichkeit"* zustimmt. (vgl. ebd. S.19) In dieser Neuauflage modifiziert Habermas seine Theorie der Funktion von Öffentlichkeit im Blickwinkel des Feminismus. Er stellt sich die Frage,

"ob Frauen in derselben Weise wie Arbeiter, Bauern und der 'Pöbel', also die 'unselbständigen' Männer, aus der bürgerlichen Öffentlichkeit ausgeschlossen wurden." (ebd. S.18)

Die Massendemokratien haben sich laut Habermas sozialstaatlich erweitert und somit klassenspezifische Benachteiligungen verändert, jedoch wurde der Strukturwandel ohne grundlegende Veränderungen des patriarchalen Charakters der Gesellschaft vollzogen. (vgl. Habermas 1991, S.19) Den Hintergrund dieser Sichtweise bildet die feministische Kommunikationstheorie mit der ihr zu Grunde liegenden Annahme, daß es männliche und weibliche Lebenswelten gibt. Das Verhältnis zur Öffentlichkeit ist aufgrund der geschlechtsspezifischen Lebenswelten unterschiedlich. Öffentlichkeit gilt als männlicher Raum. Männer haben die Macht und Gestaltungsmöglichkeit und bestimmen, wie Öffentlichkeit sich konstituiert. Der weibliche Lebenszusammenhang ist aus historischer Sicht von Ausgrenzung und Fremdbestimmung geprägt. So wird die Sphäre des Privaten hauptsächlich Frauen zugeschrieben. Die Rollenzuweisung als Hausfrau, Gattin und Mutter ist nur ein Beispiel dafür. Im frühen 18. Jahrhundert waren in der literarischen bürgerlichen Öffentlichkeit, aus der später die politische Öffentlichkeit hervorging, im Privatrahmen durchaus Frauen vertreten; aber sobald es um Teilhabe an der politischen Macht ging, oder deren Kontrolle, wurden Frauen systematisch ausgeschlossen. (vgl. Holtz-Bacha 1994, S.42 u. Hausen 1990, S.268-273)

Habermas fordert eine breite kommunikative Partizipation an Entscheidungsprozessen, bei der niemand ausgeschlossen werden sollte. Um diese zur Entfaltung zu bringen, wäre eine partizipatorische und egalitäre Organisationsöffentlichkeit erforderlich, weil durch die fortschreitende Verstaatlichung der Gesellschaft im historischen Prozeß, (erwähnt sei die Einführung der Schul- und Wehrpflicht) und die Vergesellschaftung des Staates das Prinzip der 'klassisch-bürgerlichen Öffentlichkeit' verloren ging. (vgl. Habermas 1991, S.226) Um diese zu reaktivieren, setzt Habermas auf Verbände, Parteien, Organisationen und natürlich auf die neuen sozialen Bewegungen, als neue Träger von liberaler Öffentlichkeit, weil die Interessen der politisch räsonierenden Privatleute inzwischen institutionalisiert wurden. In dem Gefüge der Organisationsöffentlichkeit sind die Individuen Teile von Assoziationen, in denen nach dem Modell der "klassisch liberalen Öffentlichkeit" herrschaftsfrei diskutiert werden kann. (vgl. ebd. S.297)

Angesichts der Komplexität und Ausdifferenzierung von Gesellschaft erscheint es mir fraglich, ob sich dieses Modell verwirklichen läßt. Plausibler erscheint mir das habermassche Konstrukt der Lebenswelt als Bezugspunkt zur Reaktivierung des

Modells "liberaler bürgerlicher Öffentlichkeit". Habermas entwarf 1981 in seiner *"Theorie des kommunikativen Handelns"* ein zweistufiges Gesellschaftskonzept von **System** und **Lebenswelt.** Nach Habermas besteht der lebensweltliche Hintergrund

"aus individuellen Fertigkeiten, dem intuitiven Wissen, wie man mit einer Situation fertig wird, und aus sozial eingeübten Praktiken, dem intuitiven Wissen, worauf man sich in einer Situation verlassen kann, nicht weniger als aus den trivialerweise gewußten Hintergrundüberzeugungen." (Habermas 1989, S.593)

In der Lebenswelt sind die Einstellungen und Interessen der Menschen zuhause. Deshalb besteht die Möglichkeit, daß sich in der Lebenswelt Kommmunikationsströme entwickeln, die auf die institutionelle Willensbildung Einfluß nehmen können und somit zu einer kommunikativen Macht im Prozeß der politischen Öffentlichkeit werden.

Allerdings bedarf es einer speziellen Art von Lebenswelten, wenn die kommunikative Macht einen gesellschaftlichen Gegenentwurf zu unserem Wirtschafts- und Gesellschaftssystem artikulieren soll. Lebenswelten wie sie Karlheinz Stamm beschreibt:

"Nur in solchen Lebenswelten, die sich den Imperativen des Systems entziehen, sich diesen verweigern, sind die Individuen in der Lage, die normativen Werthaltungen und Orientierungen in Frage zu stellen, sich in einem langwierigen Lernprozeß von diesen abzukoppeln und zu emanzipieren." (Stamm 1988, S.268)

2.3 Authentische Öffentlichkeit als normatives Modell alternativer Öffentlichkeit

Da es verschiedene Lebenswirklichkeiten gibt und Lebenszusammenhänge von Menschen in Lohnarbeit von Lebenszusammenhängen von materiell abgesicherten BürgerInnen häufig divergieren, entwickelten Oskar Negt und Alexander Kluge in den siebziger Jahren in Abgrenzung zum bürgerlichen Öffentlichkeitsbegriff den materialistischen Begriff der "proletarischen Öffentlichkeit". Dieser wird folgendermaßen beschrieben:

"Sie bildet sich innerhalb konkreter Konstellationen gesellschaftlicher Kräfte in geschicht-
lichen Bruchstellen - Krisen, Krieg, Kapitulation, Revolution, Konterrevolution - heraus;
über weite Strecken ist proletarische Öffentlichkeit und organisierte proletarische Erfahrung weitgehend mit dem identisch, was in der marxistischen Tradition Klassenbewußtsein
und Klassenkampf heißt." (Negt/Kluge 1974, S.24)

Gleichzeitig ist die "proletarische Öffentlichkeit" verzahnt mit dem jeweiligen historischen Emanzipationsstand der Arbeiterklasse. Für Negt/Kluge sind die realen proletarischen Erfahrungen eingeschränkte Erfahrungen, die nicht vollständig zur Entfaltung kommen können, weil die gesellschaftliche Erfahrung im proletarischen Lebenszusammenhang (z.b. frühkindliche Sozialisation, Schule, Freizeit, Massenmedi-
en, Aneignung des Arbeitswissen, Sprache und als entscheidender Faktor, Einsatz
der Arbeitskraft im Produktionsprozeß) ständig blockiert wird. (vgl. ebd. S.60-66)

Die Blockierung im proletarischen Lebenszusammenhang kann deshalb nur in Kri-
senzeiten aufgebrochen werden, weil dann der Rest unmanipulierter authentischer
Erfahrung als Rohstoff für Klassenbewußtsein zum Vorschein kommt, der nicht
auslöschbar ist. Deshalb ist im Produktionsbegriff von "proletarischer Öffentlichkeit" immanent die Forderung enthalten, daß "Erfahrung in der Herstellung von Erfahrung" (ebd. S.27) zu machen sei. Dies war und ist auch der Anknüpfungspunkt
der alternativen Öffentlichkeit, die mit dem Konzept der Gegenöffentlichkeit den
bürgerlichen Medienprodukten eigene politische Medienproduktionen entgegensetzen will. Parallel dazu sollen im Produktionsprozeß emanzipatorische Lernprozesse
stattfinden.

Ob der proletarische Lebenszusammenhang im Sinne von Negt/Kluge noch gesellschaftlich real existiert, ist umstritten, weil Auflösungserscheinungen der traditionellen sozialen Milieus sichtbar sind, Lebensstile sich von "Klassen" und "Schichten" zunehmend entkoppeln, wenngleich auch soziale Ungleichheiten weiter existieren. (vgl. Beck 1986, S.121-161) Auch wenn der proletarische Lebenszusammenhang sich verändert hat, so wird der Erfahrungsbegriff, der die Authentizität enthält,
dadurch nicht entwertet, sondern behält seine Gültigkeit, weil es nach wie vor unterschiedliche *Lebenszusammenhänge* (**Negt/Kluge**) bzw. *Lebenswelten* (**Habermas**)
gibt.

Die Lebenswelten sind inzwischen zu komplex, um die Unterschiedlichkeit der Lebenswelt nach marxistischen Kategorien wie "bürgerlich" und "proletarisch" noch erfassen zu können. Die marxistischen Kategorien, abgeleitet aus dem Basis/Überbau Konzept,[7] greifen zu kurz, um Lebenswelten präzise zu erfassen. Neben Klasse/ Schichtzugehörigkeit haben andere Unterscheidungsmerkmale wie Herkunft, sexuelle Orientierung, Behinderungen, Religionszugehörigkeit, und Geschlecht großen Einfluß auf die Lebenswelt. (vgl. u.a. Meulenbelt 1988)

Deshalb halte ich den Ansatz von Karlheinz Stamm, eine authentische Öffentlichkeit im Rahmen der alternativen Öffentlichkeit als normatives Modell anzustreben, für sinnvoll. Karlheinz Stamm plädiert für eine **authentische Öffentlichkeit,**

"weil dieser Begriff klassen- und schichtenunabhängig ist, d.h. diese Kategorie ist sowohl unterhalb als auch jenseits einer möglichen kategorialen Bestimmung wie 'bürgerlich' oder 'proletarisch' angesiedelt, bezeichnet sie doch weniger einen Idealtypus, hat mithin weniger methaphorischen Charakter, wie etwa proletarische Öffentlichkeit, sondern bezieht sich weitestgehend auf real empirische Erfahrungslagen, Lebenszusammenhänge und Interaktionsprozesse von Betroffenen." (Stamm 1988, S.264)

Authentische Öffentlichkeit auf das Medium Radio bezogen würde bedeuten, daß eine Schichtarbeiterin oder ein Landwirt authentisch in ihrer Sprache, mit Dialekt, Hüsteln, etc., im Radio über Dinge, Ereignisse aus dem konkreten Lebenszusammenhang sprechen könnte, ohne sich der normierten Mediensprache bedienen zu müssen. Der Blickwinkel zum Alltag der Menschen, der aus dem Blickwinkel von PolitikerInnen und Medien oft ausgegrenzt wurde, sollte und soll als fester Bestandteil im Konzept der Gegenöffentlichkeit verwirklicht werden.

---

7 In der marxistischen Theorie bilden die Produktionsverhältnisse die Basis der kapitalistischen Gesellschaft. Darüber erhebt sich ein politischer und juristischer Überbau, der gesellschaftliche Bewußtseinsformen erzeugt, die den realen Produkionsverhältnissen, der ökonomischen Struktur der Gesellschaft entspricht. (vgl. Marx/Engels. 1971 S.8 u.9)

3. Gegenöffentlichkeit versus Theorie der souveränen Medien

3. 1 Das Konzept Gegenöffentlichkeit

Gegenöffentlichkeit ist nach der Definition von Karl Heinz Stamm zum einen ein

> "Gegenbegriff gegenüber einer von Massenmedien und politischen Autoritäten manipulierten Öffentlichkeit. Gerichtet gegen die 'Manipulationszentren' und die täglichen Produktions- und 'Reproduktionsorgane', die Öffentlichkeit dem Schein nach herstellen." (Stamm 1988, S.40)

Zum anderen ist Gegenöffentlichkeit für ihn ein

> "Kampfbegriff der sich gegen das, den Herrschaftszusammenhang legitimierende Mediensystem wendet, gegen dessen Struktur und Arbeitsweise." (ebd. S.40)

In der ersten Phase der Gegenöffentlichkeit ging es gegen das bestehende kapitalistische Gesellschaftssystem. Ausgehend von der Studentenbewegung (1968) galt es mit verschiedenen Aktionsformen Gegenöffentlichkeit zu schaffen. Der Begriff beinhaltete in der Anfangsphase Demonstrationen, Teach-Ins und Blockadeaktionen. So wurde nach dem Mordanschlag auf den Studentensprecher Rudi Dutschke versucht, die Auslieferung der Bild-Zeitung des Springer-Verlags, der für die StudentInnen ein Symbol der Massenmanipulation darstellte, durch Blockaden zu verhindern. (vgl. Dutschke-Klotz/Gollwitzer/Miermeister 1980, S. 229-232) Der Ort der Gegenöffentlichkeit, im historischen Kontext betrachtet, war der öffentliche Raum, in dem während der gleichzeitigen Propagierung und Inszenierung von Gegenöffentlichkeit Erfahrungen gesammelt wurden, die sich wiederum in den Medienprodukten widerspiegelten. (vgl. Negt 1996, S.33)

Zur Konzeption von Gegenöffentlichkeit gehört die Selbsttätigkeit der Betroffenen, die einen offenen Zugang zu den Medien wahrnehmen konnten. Hierarchische Arbeitsstrukturen wurden abgelehnt. Statt dessen sollte kollektiv produziert werden und politische und soziale Bewegungen mit Medienprodukten der Gegenöffentlichkeit unterstützt werden. In diesem Konzept wird eine dezentrale Produktion und Verteilung angestrebt. Der Organisationsaufwand soll so gering wie möglich sein, deshalb werden einfache und billige Medien verwendet. Medienprojekte der Gegenöffentlichkeit waren und sind selbstverwaltet und selbstorganisiert. (vgl. Kinter 1994, S.208) Die aufgeführten Konzeptionsmerkmale finden sich in einigen alternativen Medien sowie bei den freien nichtkommerziellen Lokalradios und ihren medienpolitischen Forderungen wieder.

In den alternativen Medien der Gegenöffentlichkeit gibt es den Raum, über Aktionen ausführlich zu berichten, ohne dem Diktat der Verkürzungen und eines fraglichen journalistischen Objektivitätsanspruches unterworfen zu sein. In den freien nichtkommerzielle Lokalradios ist es möglich, ohne stringente Zeitvorgaben Hörfunkbeiträge zu produzieren.

In freien nichtkommerziellen Lokalradios gibt es Debattenplätze, im Rahmen derer HörerInnen stundenlang mit den RedakteurInnen über ein Thema diskutieren können. In den Nachrichtensendungen sind die Beiträge nicht an Minutenvorgaben gebunden, wie dies inzwischen in einigen Nachrichtenmagazinen des kommerziellen Hörfunks und auch im öffentlich-rechtlichen Rundfunk der Fall ist. Es ist durchaus keine Seltenheit, daß ein Hörfunkbeitrag in einer freien Lokalradiostation zu einem Thema über zehn Minuten geht, weil es fast unmöglich ist, komplexe politische Vorgänge, Demonstrationen und Aktionen in einem eineinhalbminütigen Radiobeitrag fundiert darzustellen.

Der Medienkritiker Ulrich Enderwitz wirft den etablierten Medien vor, daß sie sich der Zeitvorgabe unterwerfen und Themen synthetisch bearbeiten, abgelöst von dem jeweiligen sozialen oder kulturellen Milieu sowie dem spezifischen Entstehungszusammenhang.

"Wesentliche Leistung dieses Zurichtungsakts, als dessen Devise, das 'Bitte ganz kurz' des auf die Vermeidung jeder Form von Ausführlichkeit drängenden Reporters, Rechercheurs, Interviewers oder Moderators gelten muß, ist die Eingrenzung dessen, was als Information erscheinen soll oder vielmehr seine Ausgrenzung aus dem natürlichen Milieu und unmittelbaren Reflexionszusammenhang, als dessen integrierenden Bestandteil es sich versteht." (Enderwitz 1996, S.66)

Somit bilden die etablierten Medien nur einen Ausschnitt der sozialen Realität ab. Sie sind an einer Konstruktion von Wirklichkeit beteiligt und schaffen sich somit eine eigene Wirklichkeit, wie auch alternative Medien, allerdings mit einem anderen

Blickwinkel. Eine professionelle Reporterin oder ein Reporter im Medienbereich hat laut Haller eine besondere Perspektive. Er

> "verwebt seine Beobachtungen mit Empfindungen und Assoziationen, es entsteht eine durch sein subjektives Erleben vermittelte Wirklichkeitskonstruktion." (Haller 1994, S.280)

Wenn dies der Fall ist, dann kann von Objektivität im professionellen Nachrichtenjournalismus keine Rede mehr sein. Auch die professionellen Standards im Nachrichtenjournalismus wie Faktizierbarkeit der Information, also ein Miteinbeziehen mehrerer Quellen wie z.B. Augenzeugen, Wissenden, usw. in den Bericht, können also nicht darüber hinweg täuschen, daß persönliche Wertungen, bewußte und unbewußte Meinungen im journalistischen Beitrag wiederzufinden sind.[8] (vgl Haller, 1994 S.226)

Gegenöffentlichkeit hat nicht nur das Ziel, unterdrückte oder verzerrte Nachrichten zu verbreiten und somit eine politische Gebrauchsöffentlichkeit zu schaffen, wie das in der ersten Phase der Entwicklung von Gegenöffentlichkeit im Vordergrund stand, sondern es geht auch darum, den Alltag der Betroffenen im kulturellen- und gesellschaftspolitischen Kontext darzustellen.

3.2 Gegenöffentlichkeit in der Krise

Das Konzept der Gegenöffentlichkeit scheint in den Neunzigern in eine Krise geraten zu sein. Viele alternative Medienprojekte gibt es nicht mehr, oder sie haben sich inzwischen so professionalisiert, daß von Gegenöffentlichkeit keine Rede mehr sein kann. Der Niedergang der Gegenöffentlichkeit hat neben der Professionalisierung

---

8 Im Rahmen meiner Tätigkeit in der „Mediengruppe Ahaus"während des Castortransportes im Frühjahr '98 konnte ich erleben, wie sich die subjektiven Empfindungen in Medienberichten wiederspiegeln. Ein Reporter des Westdeutschen Rundfunks interviewte einen Kollegen über die Ereignisse in Ahaus und fragte ständig, ob die AKW-GegnerInnen jetzt frustriert und enttäuscht wären, weil der Castor früher als erwartet nach Ahaus kam. Mein Kollege verneinte und sprach vom Mobilisierungserfolg der Anti-Atomkraftbewegung. Als der Bericht am Abend im Fernsehen lief, war von dem interviewten Mitarbeiter der Mediengruppe nichts mehr zu sehen. Statt dessen war von Frustration und Enttäuschung im Bericht die Rede. Mein Eindruck war, daß die subjektive Empfindung, oder vielleicht auch im Einzelfall Beobachtung, als objektiv dargestellt und verallgemeinert wurde. (vgl. Aktuelle Stunde WDR 20.3. 1998)

der alternativen Medien noch andere Ursachen, wie z.b. die Regression der neuen sozialen Bewegungen, ihre Transformation in Institutionen (z.b. Nichtregierungsorganisationen) und auch die Anpassung der ehemaligen PolitaktivistInnen oder Integration in das politische System, wie das z.b. bei der aus sozialen Bewegungen entstandenen Partei *"Die Grünen"* der Fall ist. (vgl. Tiefenbach, 1998)

Auch wenn es noch eine vielfältige Demonstrationskultur gibt, in der Gegenöffentlichkeit erzeugt wird, so ist doch augenscheinlich, daß die Orte, an denen Gegenöffentlichkeit als Realität wahrgenommen und als Notwendigkeit gesehen wurde, kaum mehr vorhanden sind. Es gibt nicht mehr viele besetzte Häuser, selbstverwaltete Jugendzentren, Plätze und Straßen, von denen aus berichtet werden kann. Im Kontext von politischen Zentren, Aktionen und einem soziokulturellen Milieu hatte Gegenöffentlichkeit noch die Funktion, einen gemeinsamen Rahmen herzustellen. Heute scheint die vielfach beschworene Gegengesellschaft - die Inseln im System - nicht mehr existent zu sein.

Die Mitarbeit in alternativen Medienprojekten ist gekennzeichnet von Mehrfachbelastungen der alternativen MedienmacherInnen, die häufig in anderen politischen Gruppen mitarbeiten und durch Beruf und Alltagsleben stark in Anspruch genommen werden, so daß dieser Faktor auch zu der Krise der Gegenöffentlichkeit beiträgt. Aber wesentlicher scheint mir das Aufgreifen der klassischen Themen der neuen sozialen Bewegungen (z.B. Frauen, Ökologie, alternative Lebensformen, etc.), durch die etablierten Medien zu sein. (vgl. Kinter 1994, S.214) Auch wenn die Authentizität in den etablierten Medien selten gewährleistet ist, so haben zumindest die Themen inzwischen ihren Platz in den etablierten Medien gefunden. Gleichfalls wurden Ansätze einer BürgerInnenbeteiligung im Hörfunk weiterentwickelt. So gibt es eine Vielzahl von "Radio-Talkshows", in der HörerInnen zu Wort kommen. Jedoch ist die Hauptintention nicht die Förderung der Partizipationsmöglichkeiten aufgrund eines demokratischen Rundfunkverständnisses, sondern es soll mit Kurz-Umfragen, Hotlines, Fax- und Internet-Aktionen, u.a. Publikumsnähe zum Sender erzeugt werden, um im Kampf um die Einschaltquoten besser abzuschneiden. (vgl. Neumann-Braun 1997, S.12) Die Teilnahmemöglichkeiten an diesen Sendungen beinhalten keinen Ansatz einer Gegenöffentlichkeit im klassischen Sinne. Denn die RezipientInnen haben keinen Einfluß auf die Struktur des Programmes, höchstens in speziellen dafür vorgesehenen Mitmachsendungen. Letztendlich sind die Mitmachangebote der öffentlich-rechtlichen Rundfunksender, sowie der kommerziellen Hörfunksender wohl eher ein **Scheinpartizipationsangebot.** Gegenöffentlichkeit im Sinne von RezipientInnenpartizipation meint:

> "einen als "emanzipatorisch" etikettierten Mediengebrauch, der eine Mitbestimmung an der Programmproduktion durch das Publikum strukturell verankert." (Neumann Braun 1997, S.13)

Außerdem wird im herkömmlichen Mediensystem oftmals das Private und Intime isoliert von der Lebenswelt und dem dazugehörigen politischen Kontext dargestellt. Es wird als rein individuelle Angelegenheit behandelt. Der gesellschaftspolitische Bezug ist, wenn überhaupt, nur rudimentär vorhanden. Dies steht im Gegensatz zu dem Konzept der Gegenöffentlichkeit, bei dem der Versuch unternommen wird, Person und Gesellschaft miteinander zu verknüpfen und somit die Möglichkeit zu schaffen, daß der Mensch sich als handlungsorientiertes Subjekt begreift, das die gesellschaftlichen Verhältnisse ändern kann. Wenn allerdings die Subjekte die gesellschaftlichen Verhältnisse nicht verändern wollen, dann hilft auch keine Herstellung von Gegenöffentlichkeit, und das Konzept gerät in eine Krise.

Für die freien, legalisierten nichtkommerziellen Lokalradios bedeutet Gegenöffentlichkeit inzwischen,

> "etwas zu Entwickelndes, das stark mit dem 'Wie' der Sendungen zusammenhängt und vielleicht mit einem großen alltäglichen Sendebetrieb sehr vielschichtig bis verschwommen ist. Gegenöffentlichkeit als etwas, das von Sachgebiet zu Sachgebiet und von Sendegruppe zu Redaktion sehr unterschiedlich praktiziert wird." (Höffgen/Werner 1992, S.15).

Demzufolge gibt es keinen allgemeinverbindlichen Begriff von Gegenöffentlichkeit mehr. Für die einen bedeutet er einfach, "unterdrückte Nachrichten" zu senden. (Flugblattradio) Für die anderen ist es wichtig, im gemeinsamen produktorientierten Prozeß der Herstellung von Öffentlichkeit Gegenöffentlichkeit zu schaffen. Wiederum andere wollen einfach nur ihre Lieblingsmusik abspielen und haben für Politik kaum oder überhaupt kein Interesse. Der soziale Wandel im Bezug auf politisches Engagement hat auch das Freie Radio erreicht. Es ist, wie in anderen Bereichen der Gesellschaft auch, eine "Entpolitisierung" in Bezug auf aktives politisches Engagement festzustellen, wie das bei der Mehrzahl der interviewten Jugendlichen der Jugendradiogruppen der Fall ist.[9] (vgl. Kap. 6)

Daß die Funktion des Freien Radios im Hinblick auf politische Kommunikation sich verändert hat, stellen auch die RadiomacherInnen Ulrike Werner und Holger Höffgen fest:

> "Es ist nicht mehr selbstverständlich, ein Radio für Diskussionen und Informationen zu nutzen. Es ist schöner geworden sich über die geile Jeans in Amsterdam zu unterhalten". (Höffgen/Werner 1992, S.15 -16)

Desweiteren stellt sich die Frage der Zielgruppe. Sollen Insidersendungen für die Politszene oder den engsten Freundeskreis inklusive der Wohngemeinschaft produziert werden oder soll vielleicht doch die anonyme Masse draußen, fern vom überschaubaren Politszenezusammenhang, erreicht werden?

Spielt die Zielgruppe überhaupt keine Rolle mehr, weil in postmodernen Zeiten so viele akustische Zeichen ausgestrahlt werden, daß es überhaupt keine relevante Rolle mehr spielt, was gesendet wird?

Sollen sich die Menschen deshalb lieber von der Vorstellung verabschieden, mit Hilfe von Medien zur Veränderung der Gesellschaft beizutragen?

Die Vorstellung, daß die Menschen, wenn sie die "richtigen" Informationen der Gegenöffentlichkeit rezipieren, zu politisch aktiv handelnden Subjekten werden, ist zu monokausal gedacht. Höchstens dann, wenn der Auswahlprozeß der Medienrezeption schon als Akt des aktiven politischen Handelns angesehen wird. Das Konsumieren von "unterdrückten Nachrichten", losgelöst von der sozialen Praxis, bewirkt politisch nicht allzuviel, weil der Sender wenig Einfluß darauf hat, wie der Empfänger das gesendete Ereignis interpretiert. Ob ein polizeikritischer Bericht über einen brutalen Polizeieinsatz im Rahmen von Protesten gegen Atommüll zu Empörung führt, hängt von verschieden Faktoren ab. (vgl. autonome a.f.r.i.k.a. gruppe 1997, S.177 u.189) Vielleicht ist das Problem weniger die Uninformiertheit, sondern eher die absolute Folgenlosigkeit medialer Rezeption im Hinblick auf politisches Engagement.

---

9 In den Freien Radios gibt es auch Jugendliche, die sich für Politik interessieren und selbst aktiv sind. Allerdings sind sie dann weniger in den Jugendradiogruppen anzutreffen, sondern eher in den Inforedaktionen oder in den speziellen Redaktionsgruppen zu Fachthemen wie z.B. Ökologie.

Ein Resultat der Informationsgesellschaft ist der Überfluß der Informationen die abgerufen, angehört, angesehen und gelesen werden können.[10] Dies kann nach Ansicht von Jean Baudrillard zur Überforderung der Menschen führen und sie letztendlich trotz bzw. wegen der Informationsfülle handlungsunfähig werden lassen.

"Diese träge Masse des Sozialen ist nicht das Ergebnis von fehlenden Tauschhandlungen, des Mangels an Information oder Kommunikation, sondern sie resultiert ganz im Gegenteil aus der Vervielfachung und Häufung von Tauschhandlungen." (Baudrillard 1994, S.13)

Hinzu kommt die Form der medialen Berichterstattung der Gegenöffentlichkeit, wie z.B. die argumentative Kritik, die der herrschenden Kommunikationsweise entspricht und dadurch, so radikal die kritische Botschaft auch sein mag, oftmals ungewollt zu einer Stabilisierung der herrschenden Verhältnisse beiträgt.

Völlig abgekoppelt von etablierten Kommunikationsnormen des Hörfunks und dem Konzept Gegenöffentlichkeit haben sich hingegen die Radiostationen, die sich als souveränes Medium bezeichnen.

3.3 Die souveränen Medien

In der freien Radioszene von Amsterdam gibt es Rundfunkstationen wie z.B. "Patapoe Radio", die sich vom Konzept Gegenöffentlichkeit verabschiedet haben und mit ihrem ausgestrahlten Rundfunkprogramm Hörgewohnheiten radikal in Frage stellen wollen. Für "Radio Patapoe" sind die RezipientInnen mündige HörerInnen, die selbst bestimmen können, welche Medien sie konsumieren wollen.
Die RadiomacherInnen von "Radio Patapoe" haben keine Zielgruppe und möchten niemanden belehren, bilden oder das Medium Radio als Aufklärungsinstrument nutzen. (vgl. Radio Patapoe 1996, S.244) Das Radio bezeichnet sich selbst als souveränes Medium. Die souveränen Medien

---

10 Ungefähr zehntausend Zeitschriften erscheinen in der BRD regelmäßig. Es sind ca. 300 verschiedene Hörfunk, sowie einhundert Fernsehprogramme zu empfangen. Es senden etwa fünfhundert Erdsatelliten, Daten, Töne und Bilder in die Welt. Durch die neuen Technologien (Digitalisierung, Datenkompression, Internet) besteht die technische Möglichkeit, die Fernseh-und Hörfunkprogramme zu vervielfachen. (vgl. Pöttinger 1997, S.53)

"haben alle noch bestehenden imaginären Bindungen der Wahrheit, Wirklichkeit und Repräsentation durchschnitten. Sie richten sich nicht länger nach den Wünschen einer spezifischen Zielgruppe. Sie haben sich vom potentiellen Hörerpublikum emanzipiert und betrachten ihr Publikum auch nicht als ein zu knetendes Marktsegment, sondern bieten ihm einen großzügigen Raum." (Lovink 1992, S.85)

Im souveränen Medium ist alles erlaubt. Spielfilmtöne werden mit Unterhaltungsmusik vermischt. Man hört Rauschen, Töne, Witze, Ansprachen und Hundegebell. Mit Sprechtechniken werden Berichte lächerlich gemacht. Manchmal kommen auch schlicht Falschmeldungen über den Äther. Souveräne Medien bezeichnen sich als Ätherverschmutzung, die auf subversive Art und Weise Hörgewohnheiten angreifen, ohne primär die Intention zu haben, etwas politisch oder künstlerisch verändern zu wollen.

"Ein steigendes, wechselseitiges Desinteresse verhindert jedes Gespräch. Man bewegt sich in parallelen Welten, die sich einander nicht belästigen. Weder Gegeninformationen, noch Kritik an Politik oder Kunst, sollen zu einem Dialog mit den Autoritäten führen." (Lovink 1992, S.82)

Im Konzept der souveränen Medien besteht derselbe Anspruch, daß alle das Radio für sich nutzen können und der/die RezipientIn zum Produzent wird, wie im Konzept Gegenöffentlichkeit auch. Dies ist aber die einzige Gemeinsamkeit. Bei "Radio Dreyeckland" in Freiburg gibt es eine anhaltende Debatte über die beiden verschiedenen Ansätze, und die ProtagonistInnen stehen sich meist unversöhnlich gegenüber, weil die Ansätze und die daraus sich entwickelnden Hörfunkprogramme so unterschiedlich sind, daß sie nicht auf einer gemeinsamen Frequenz in einem Gesamtprojekt ausgestrahlt werden können. (vgl. Jungle World Nr.30. 22 Juli 1998, S.15 -18)

Eine andere Intention haben die MedienaktivistInnen, die mit Hilfe der Kommunikationsguerilla eine subversive Praxis schaffen wollen. Die Autoritäten sollen verunsichert und die Menschen mit Hilfe der Kommunikationsguerilla zum Nachdenken gebracht werden. Teilweise haben Kommunikationsguerilleros/-as ähnliche Techniken wie die Radiostationen der souveränen Medien, wenngleich die Absicht eine andere ist.

3.4 Kommunikationsguerilla als Bindeglied zwischen Gegenöffentlichkeit

und souveränen Medien

Während wir im Konzept Gegenöffentlichkeit das Element der argumentativen Kritik wiederfinden, verzichtet die Kommunikationsguerilla auf die Formen der herrschenden Kommunikationsnorm, weil die hegemonialen Diskurse indirekt als legitim anerkannt und dadurch die herrschenden Verhältnisse eher stabilisiert würden, als grundsätzlich in Frage gestellt. (vgl. autonome a.f.r.i.k.a. gruppe 1997, S.185) Mit dem Konzept Kommunikationsguerilla soll der Versuch unternommen werden, durch Eingriffe in den Kommunikationsprozeß subversive Wirkungen hervorzurufen. Dazu wurde eine Fülle von Methoden und Techniken entwickelt, die nach zwei grundsätzlichen Prinzipien funktionieren: **Überidentifizierung** und **Verfremdung**. (vgl. ebd. S.46)

Ein Kriegerdenkmal mit der Aufschrift *"Wir gedenken unseren Helden"* kann mit dem Bild des lateinamerikanischen Revolutionärs Che Guevara auf einmal ganz andere Assoziationen auslösen als die ursprüngliche Intention der Denkmalserbauer. Die Intention der Kommunikationsguerilla ist es, Verwirrung zu stiften und Überraschungsmomente zu schaffen, um mit dem Überraschungseffekt des Ungewohnten die Menschen zum Nachdenken zu bringen.

Im Hörfunk können indirekte Kommentare den gewohnten Radiobrei zum Kochen bringen. Der indirekte Kommentar kennzeichnet sich durch falsche Betonung, Aussprachefehler, sowie eine demonstrative Unbeteiligtkeit aus. In ihm werden Wörter vertauscht, Silben zerdehnt, Unwichtiges überplappert und Buchstaben verwechselt. Man kann den indirekten Kommentar mit komischem Tonfall vortragen und mit endlosen Wiederholungen der nichtssagenden Phrasen von PolitikerInnen oder offiziellen Redewendungen pur oder deformiert unterlegen. (vgl. ebd. S.193) Angewendet hat diese Techniken das Freie "Radio Alice", das in den Jahren 1976/1977 im italienischen Bologna sendete.[11]

---

11 Am 12.3.1977 wurde in Bologna der Student Francesco Lorusso, organisiert bei Lotta Continua, von einem Carabiniere ermordet. Die Stadt wurde von Polizeieinheiten besetzt und Radio Alice mit der Begründung: „Unterstützung krimineller Handlungen durch die Sendungen" geschlossen. (vgl. Kollektiv A/traverso, 1977 Berlin)

Der Sender arbeitete mit Falschmeldungen, Collagen und sendete nichtverständliche Botschaften. Die RadiomacherInnen von "Radio Alice" nutzten das Radio experimentell, lange bevor die Begriffe souveränes Medium und Kommunikationsguerilla im Diskurs des alternativen Medienbereichs auftauchten. (vgl. Kollektiv A / traverso, 1977)

Eine beliebte Methode der Kommunikationsguerilla ist das Produzieren von Falschmeldungen. Mit sogenannten "Fakes" besteht die Möglichkeit, politische Diskussionen in Gang zu setzen. Wenn z.b. eine Anti-Atomgruppe die Autorität eines amtlichen Schreibens benutzt, indem sie einen Brief verschickt, der die Bevölkerung auffordert sich aufgrund der atomaren Castor-Transporte Jodtabletten im Bürgermeisteramt abzuholen, wird es bestimmt ein Dementi des Amtes geben.

In Berlin sendete im Januar 1998 ein Piratensender auf der Frequenz des kommerziell erfolgreichen Privatsenders "Radio Hundert 6" die Falschmeldung, daß der Innensenator Jörg Schönbohm (CDU) und CDU Fraktionschef Klaus Landowsky in Drogengeschäfte verwickelt worden seien und daß bei der Heroinübergabe Schönbohm erschossen worden sei. Die Berliner Tageszeitungen berichteten am nächsten Tag ausführlich über die Aktion der PiratenfunkerInnen (vgl. Interim Nr.444 1998) Die Berliner RadioaktivistInnen griffen mit dieser Form der Kommunikationsguerilla in den Konflikt der beiden Politiker mit der linksradikalen Szene ein. Abgesehen von ethischen Bedenken bezüglich der Verunglimpfung des politischen Gegners ist die Frage zu beantworten, inwieweit gezielte Falschmeldungen in legalen nichtkommerziellen Radiostationen sinnvoll sind, weil die Befürchtung sehr groß ist, daß durch gezielte Falschmeldungen die Glaubwürdigkeit des Nachrichtensenders im Nachrichtenbereich gefährdet wird. Die Techniken der Kommunikationsguerilla stehen nicht im Widerspruch zum aufklärerischen Konzept der Gegenöffentlichkeit.

"Wo Aufklärung nicht ankommt, kann Kommunikationsguerilla die wirksamere Taktik sein, wo es eine aufnahmebereite Zielgruppe oder gesellschaftlichen Druck gibt, ist Aufklärung und Information angesagt." (autonome a.f.r.i.k.a. gruppe 1997, S.8)

Gerade das Freie Radio bietet beide Möglichkeiten, sowohl Gegenöffentlichkeit zu schaffen, als auch Anregungen aus dem Fundus der Kommunikationsguerilla aufzugreifen, um z.B. Hörgewohnheiten radikal in Frage zu stellen. Mit dem Konzept der souveränen Medien wäre dies nur begrenzt möglich, weil die Theorie der souveränen Medien eine Einbindung in ein Sendeschema ablehnen müßte, da dies eine Konzession an eine Programmstruktur darstellen würde.

In der aktiven Medienarbeit mit Jugendlichen können aus den verschiedenen Konzepten (Gegenöffentlichkeit, Souveränes Medium, Kommunikationsguerilla) Elemente verwendet werden, um sich mediale Handlungskompetenz kreativ anzueignen.

4. Von der ideologiekritischen Medienpädagogik zur handlungsorientierten Medienkompetenz

4.1 Die ideologiekritische Position in der Medienpädagogik

Die Entwicklung alternativer Medienproduktionen und der aufgezeigte medientheoretische Bezugsrahmen spiegeln sich auch in medienpädagogischen Positionen wieder.[12] Der Begriff Medienpädagogik entstand als Fachterminus in den 60er Jahren. Für alle pädagogisch relevanten Gedanken über Medien ist Medienpädagogik ein Oberbegriff, der sowohl für Mediendidaktik als auch für Medienkunde und Medienerziehung ein sogenannter "umbrella-term" ist. (vgl. Pöttinger 1997, S.54) Den Hintergrund der ideologiekritischen Medienpädagogik bildet die schon im vorherigen Kapitel erwähnte Kritische Theorie und die politisierte StudentInnenbewegung der sechziger Jahre. Massenmedien galten als Manipulationsinstrumente. Die ideologiekritische Gesellschaftsanalyse geht davon aus, daß ein industrialisierter, von wenigen kontrollierter und beherrschter Produktionszusammenhang besteht, der in der Lage ist, eine "Schein-Objektivität" herzustellen und die wirklichen gesellschaftlichen Verhältnisse verschleiert.
(vgl. Kapitel 2 und u.a. Baacke 1996, S.112 - 113)

Dieselbe Position nimmt auch die marxistische Medienpädagogik ein, die davon ausgeht, daß Massenmedien im kapitalistischen Gesellschaftssystem Herrschaftsmittel zur Sicherung und Ausdehnung des Systems sind. Massenmedien im Kapitalismus tragen nach dieser Sichtweise zur Aufrechterhaltung des Status Quo bei. (vgl. Podehl 1984, S.125) Einen Ausweg aus der Manipulation biete die Aufklärung. Die Medienkritik auf analytischer Grundlage bildet das Fundament der ideologiekritischen Medienpädagogik.

Als Methode wird die sprachliche und semiotische Analyse der Massenmedien verwendet. Mit Hilfe der Analyse von Nachrichtensendungen, Werbung, Unterhaltungs-

---

12 Neben den in diesem Kapitel vorgestellten medienpädagogischen Positionen gibt es u.a. noch die kultur-kritisch-geisteswissenschaftlichen und technologisch-funktionalen Positionen. (vgl. Schell 1993, S.15 - 31) Sie alle darzustellen, würde über den Rahmen dieser Arbeit hinausgehen. Ich habe deshalb die medienpädagogischen Ansätze, die im Diskurs der Freien Radios eine Rolle spielten (oder spielen) und mir im Hinblick auf Freie Radio-Praxis am plausibelsten erschienen, ausgesucht.

filmen etc. soll der Ideologiegehalt in Medienproduktionen erkannt werden. (vgl. Schell 1993, S.22-23)

Ein wesentlicher Kritikpunkt an der ideologiekritischen Position ist die enge Sichtweise, Massenmedien nur als manipulatives Instrument anzusehen, somit den RezipientInnen eine Opferrolle zuzuschreiben, in der sie einen Objektstatus erhalten, und ihren individuellen gesellschaftlichen Status als handelnde Subjekte vollkommen unberücksichtigt zu lassen.

Der pädagogische Handlungsspielraum ist in diesem Konzept sehr gering. Für eine aktive Medienarbeit und eine alternative Öffentlichkeitsproduktion ist die Analyse von Medienproduktion eine wichtige Hilfestellung, um Medienprodukte anders gestalten zu können. Aber die fundierte analytische Kritik schafft noch lange keine Praxis und führt nicht automatisch zur Partizipation, die überhaupt die Voraussetzung von aktiver Medienarbeit im nichtkommerziellen freien Lokalradio ist. Auch wenn die kritische Medienanalyse einzelnen Individuen auf intellektueller Ebene einen Zugang zu Medien eröffnen kann, greift dieser Ansatz für eine aktive Medienarbeit zu kurz.

Dagegen bietet die handlungsorientierte Medienpädagogik, mit gesellschaftskritischem Blick und am Subjekt anknüpfend, eine weitreichendere Möglichkeit, um einer aktiven Jugend-Medien-Arbeit im nichtkommerziellen Hörfunk zum Erfolg zu verhelfen.

4.2 Der handlungsorientierte Ansatz der Medienpädagogik in der

subjektorientierten Jugendarbeit

Die Medientheoretiker Brecht, Benjamin und Enzensberger leisteten mit ihren medientheoretischen Ansätzen Pionierarbeit für eine aktive Medienarbeit auf handlungsorientierter Grundlage. Sie lehnten den Dualismus von KommunikatorInnen und RezipientInnen ab. Die Rollenaufteilung sollte überwunden werden. (vgl. Kapitel 1 und 2)

54

In der handlungsorientierten Medienpädagogik wird das Individuum als gesellschaftliches Subjekt angesehen. Damit knüpft sie an die subjektorientierte Jugendarbeit an, die nach Albert Scherr davon ausgeht:

"daß Individuen der Möglichkeit nach, also keineswegs jederzeit und in allen Bereichen ihrer Alltagspraxis, Subjekte ihres Handelns, das heißt mit Selbstbewußtsein und Selbstbestimmungsfähigkeit ausgestattete Einzelne sind, die auf Grundlage rationaler Abwägungen entscheiden und handeln können, also nicht Marionetten äußerer gesellschaftlicher Zwänge, verinnerlichter Normen und Verhaltensprogramme (das hieße Personen) oder ihrer Triebnatur sind." (Scherr 1998, S.202)

In der subjektorientierten Jugendarbeit ist die Selbstbestimmungs- und Selbstbewußtseinsfähigkeit der Subjekte zum einen von der lebensgeschichtlichen Entwicklung, zum anderen von der lebenspraktischen Realisierung abhängig. Hinzu kommen die sozialen Rahmenbedingungen, die vorgegeben sind. (vgl. ebd. S.202 u.203) Der Aspekt der sozialen Rahmenbedingungen verdient meines Erachtens eine verstärkte politische und pädagogische Aufmerksamkeit, weil trotz Pluralisierung von Lebensstilen und Jugendkulturen sowie dem Aufweichen der sozialen Milieus nach wie vor ein sehr starker Zusammenhang von sozialer Herkunft und Bildungslaufbahn feststellbar ist. (vgl. Scherr 1997, S.114)

Die subjektorientierte Jugendarbeit nach Albert Scherr möchte selbstbestimmtes und selbstbewußtes Handeln aktivieren und ermöglichen. Pädagogische Angebote der Jugendarbeit sollen so gestaltet werden, daß Selbstbewußtsein und Mündigkeit gefördert wird. (vgl. Scherr 1997, S.23- 25)

Handlungsorientierte Medienpädagogik kann die Rahmenbedingungen schaffen, in denen Jugendliche wichtige Erfahrungen sammeln können, die zur Stärkung von Selbstbewußtsein und Mündigkeit führen. (vgl. Kap.6) Bezugspunkt ist die Lebenswelt, in der Medien nach Ansicht des Medienwissenschaftlers Bernd Schorb einen ganz zentralen Stellenwert haben und unser Leben nachhaltig beeinflussen:

"Medien werden in Zukunft immer umfassender jeden Bereich des menschlichen Lebens, die Produktion ebenso wie die Reproduktion, die Gestaltung, das Lernen wie das Handeln zumindest, beeinflussen, wenn nicht steuern." (Schorb 1998, S.10)

Wenn die Medien eine so große Rolle spielen, dann ist es unvermeidbar, sich mit Medien unter pädagogischen Gesichtspunkten, wie z.b. dem Umgang mit Medien und der Partizipationsmöglichkeiten an der Medienproduktion auseinanderzusetzen. Anders als die ideologiekritische Medienpädagogik, die den Fokus primär auf die Medien setzt, richtet sich der subjektorientierte pädagogische Blick auf die MedienrezipientInnen und ihr Handlungspotential. Ein Alltag ohne Medien wäre für Jugendliche (und nicht nur für Jugendliche!) kaum vorstellbar. Neben den traditionellen Massenmedien wie Radio, Fernsehen, Zeitungen, Zeitschriften und Büchern verfügen ein Großteil der Jugendlichen inzwischen über Kassettenrecorder, CDs, Computer, Telespiele jeglicher Art, Walkmans, etc. Außerhalb des häuslichen Mediengebrauchs stehen Jugendlichen unterschiedliche Medienorte wie z.b. das Kino, die Diskothek und die Spielhalle zur Verfügung. (vgl. Baacke 1989, S.15-63 u.1990, S.120)

Zweifellos sind Medien ein wichtiger Bestandteil in der Sozialisation von Jugendlichen. Der Medienwissenschaftler Jochen Hörisch geht sogar davon aus, daß Medien inzwischen solch einen großen Stellenwert und Einfluß auf den Sozialisationsprozeß haben, daß man inzwischen von einer Mediengenerationen sprechen kann. Die Generation der 68er hat im Vergleich zu den Jugendlichen der neunziger Jahren eine völlig andere Mediensozialisation durchlaufen. So sind z.b. die kommerziellen Musikfernsehsender *"Viva"* und *"MTV"* für einen Großteil der heutigen Jugendlichen ein fester Bestandteil ihrer Mediensozialisation, während die 68er noch ohne Privatfernsehen und kommerzielles Privatradio aufwuchsen. (vgl. Hörisch 1997, S.13-15) Ein sehr beliebtes Medium für die Mehrheit der Jugendlichen ist das Radio. In der Altersstufe von 14 bis 19 Jahren hören fast dreiviertel dieser Jugendlichen knapp zwei Stunden Radio pro Tag. Das Medium Radio ist aktuell, spielt die Musik, die Jugendliche mögen, es ist mobil und hat einen hohen Grad an Verfügbarkeit. (vgl. Boehnke/Hoffman 1997, S.55 u. Lindner 1993, S.145) Wenn das Medium Radio ein klassisches Jugendmedium ist, dann liegt es nahe, dieses Medium pädagogisch nutzbar zu machen. Eine Möglichkeit böte die handlungsorientierte Jugendradio-Medienarbeit als eine Form der Medienpädagogik, die ein fester Bestandteil schulischer und außerschulischer Jugendarbeit werden kann.

Um der handlungsorientierten Medienpädagogik zum gewünschten Erfolg zu verhelfen, bedarf es einiger Qualifikationen für die konkrete Arbeitsweise mit Medien, die sich in dem Begriff Medienkompetenz wiederfinden.

4.3 Medienkompetenz als Schlüsselbegriff der handlungsorientierten

Jugend-Medien-Arbeit

In der handlungsorientierten Jugend-Medien-Arbeit können Jugendliche lernen, Medien als künstlich erzeugte Produkte wahrzunehmen und selbst gestalterisch tätig sein. Sie verhilft den Akteuren dazu, eine kritische Distanz zu Medienprodukten zu entwickeln. (vgl. Schell 1997, S.144)

Um mit Medien zu arbeiten, sind verschiedene Fähigkeiten von Vorteil. Diese Fähigkeiten bündelt der Begriff Medienkompetenz[13] der alle wichtigen Komponenten für eine aktive Medienarbeit beinhaltet. Medienkompetenz hat eine Schlüsselfunktion für eine medienpädagogische Arbeit mit Jugendlichen.

Der Begriff Medienkompetenz wurde aus der kommunikativen Kompetenz hergeleitet, die wesentlich von den wissenschaftstheoretischen Arbeiten von Habermas geprägt ist. Für den Medienwissenschaftler Dieter Baacke geht Habermas davon aus,

"daß nicht nur Arbeit eine Grundkategorie menschlicher Weltorientierung ist und Aneignung und Gestaltung von Natur sei, sondern eben auch Kommunikation." (Baacke 1996, S.115)

Habermas postuliert, daß mit Hilfe von Kommunikationsprozessen emanzipatorisches Handeln entstehen kann, sofern egalitäre Kommunikationsstrukturen vorhanden sind. (vgl. Kapitel 2.2) Da Kommunikation aufgrund von technischer Entwicklung zunehmend über Medien verschiedenster Art stattfindet, also Medien Kommu-

---

13 Der französisches Soziologe Jean Francois Lyotard, einer der Protagonisten der Postmoderne, geht davon aus, daß in postmodernen Zeiten die Forschung an den Universitäten immer mehr zur Optimierung der Leistungen des Systems herangezogen wird und deshalb kein Bildungsideal mehr vermitteln soll, sondern angewiesen wird Kompetenzen zu bilden. Deshalb verwundert nicht, daß der Begriff Medienkompetenz, der im universitären Bereich entwickelt wurde, momentan in Bildungsinstitutionen und wissenschaftlichen Publikationen Hochkunjunktur hat. (vgl. Lyotard 1994, S.138-151)

nikationsmittel sind, kann die kommunikative Kompetenz somit auf Medien ausge-
weitet werden.

Im Rahmen einer Fachtagung der Bertelsmann-Stiftung im Jahre 1991 zum Thema
Medienkompetenz wurden Fachleute mit Hilfe eines Fragebogens nach ihrer persönlichen Definition von Medienkompetenz befragt. Die Auswertung ergab, daß sich
Medienkompetenz aus verschiedenen Kompetenzen zusammensetzt. Zum einen aus
der *Wahrnehmungskompetenz*, die dazu befähigt, Medienstrukturen, Gestaltungsfor-
men und Wirkungsmöglichkeiten zu verstehen, zum anderen aus der *Nutzungskom-
petenz*, die die Möglichkeit gibt, sich mit Hilfe von Medien zu artikulieren, und der
eigenen Persönlichkeit zum Ausdruck zu verhelfen. (vgl. Pöttinger, 1997, S.78-80)

Für eine praxisorientierte Medienarbeit ist meiner Ansicht nach die Definition von
Medienkompetenz des Medienwissenschaftlers Dieter Baacke am besten geeignet.
Nach seiner Definition gehören zur **Medienkompetenz** die Bausteine *Medien-
Kunde, Medien-Nutzung, Medien-Kritik* und *Medien-Gestaltung*. (vgl. Baacke 1996,
S.120) Diese vier Elemente sind eine wichtige Qualifikation für MultiplikatorInnen,
die in der handlungsorientierten Jugend-Medien-Arbeit tätig sein wollen. Jugendliche, die in einer Radiogruppe eines nichtkommerziellen freien Lokalradios mitarbeiten, erwerben die Bausteine der Medienkompetenz durch die kontinuierliche Mitarbeit im Produktionsprozeß. Im folgenden werden die Bausteine der Medienkompetenz aufgrund der wichtigen Bedeutsamkeit für die Jugend-Medien-Arbeit einzeln
kurz dargestellt.

Medien-Kunde
Für die handlungsorientierte Medienpädagogik sind die Medien Instrumente, die
produktiv nutzbar gemacht werden können, um lebensweltliche Erfahrungen zu verarbeiten. Dazu bedarf es der Kenntnisse über das spezifische Medium, welches als
Arbeitsinstrument eingesetzt werden soll. Hierfür ist Medien-Kunde erforderlich.
Neben der *instrumentell-qualifikatorischen Dimension* (gemeint ist das Bedienen der
Geräte, z.B. Aufnahmegeräten bei Interviews), beinhaltet Medien-Kunde auch eine
informative Dimension, z.B. das Wissen über den Unterschied zwischen einem
kommerziellen Privatradiosender und einem nichtkommerziellen Freien Radio, in

dem die Möglichkeit besteht, selbstproduzierte Sendungen auszustrahlen. (vgl. Baacke 1996, S. 120).

Medien-Nutzung

Der Terminus Medien-Nutzung ist handlungsorientiert und besteht aus zwei Teilen. Ein Bestandteil ist die *Programm-Nutzungs-Kompetenz*, die in Bezug auf eine rezeptive Anwendung das Individuum dazu befähigt, sich ein Menü aus der Vielzahl der Medienangebote herauszusuchen und konstruktiv zu nutzen. Ein zweiter Bestandteil ist die Fähigkeit, Medien *interaktiv* verwenden zu können. Ob im Telediskurs oder im World Wide Web, die Partizipation setzt immer auch Kenntnisse der technischen Nutzung der Kommunikationsmittel voraus. (vgl. ebd. S.120)

Medien-Kritik

Zur Medien-Kritik gehört eine *analytische* Ebene, um sozio-politisch problematische Prozesse im Medienbereich angemessen erfassen zu können. (z B. das Vermischen von Werbung und journalistischer Arbeit oder die Konzentrationsprozesse im Medienbereich, welche die Gefahr bergen, daß Medienmonopole den Markt beherrschen und politische Einflußmöglichkeiten besitzen.) Eine andere Ebene ist die *Reflexivität,* die den Menschen in die Lage versetzt, das erworbene analytische Wissen auf sich selbst und auf sein Agieren zu beziehen. (vgl. ebd. S.120)

Medien-Gestaltung

Ein aktiver Mediengebrauch bietet die Möglichkeit, mit dem arbeitenden Medium anders umzugehen und neue Wege zu beschreiten. Desweiteren können mit Medien unterschiedliche ästhetische Varianten ausprobiert werden, wie z.B. die souveränen Medien. (vgl. Kap.3.3) Neben der *Ästhetik* beinhaltet die *Medien-Gestaltung* eine innovative Qualifikation, um das Mediensystem verändern zu können. Inzwischen besteht die Möglichkeit, mit Hilfe des Internets Radiosendungen weltweit abzurufen und zu verbreiten. Die Gestaltung des Jugendradios wird in der Zukunft, nicht zuletzt aufgrund der technischen Entwicklung, immer mehr multimediale Elemente besitzen. (vgl. ebd. S.120)

Der Begriff Medienkompetenz kann als Leitbegriff einer aktiven Medien-Jugend-Arbeit aufgefaßt werden. Dieter Baacke weist daraufhin, daß der Begriff Medienkompetenz die Körperlichkeit des Menschen zu wenig berücksichtigt. (vgl. ebd. S.121) Um diesen Mangel des Begriffs aufzuheben, empfehle ich, Medienkompetenz mit dem Qualifikationsort zu verknüpfen. In den freien nichtkommerziellen Lokalradios wird Medienkompetenz in Verbindung mit der Körperlichkeit des Menschen erworben. In den Radiogruppen sind die Interaktionsprozesse immer ganzheitlich, weil nicht über das Internet kommuniziert wird, sondern in der Gruppe. Auch bei der Produktion der Sendungen im Tonstudio oder im Radioplenum sind die RadiomacherInnen mit all ihrer Körperlichkeit real und nicht virtuell vorhanden. Der Sprechakt geschieht mit dem Körper; bei Interviews kann die Körperhaltung Einfluß auf das Gespräch haben. Aktive Radioarbeit ist ohne Körperlichkeit undenkbar.

Die Örtlichkeit des freien, nichtkommerziellen Radios bietet die Möglichkeit, mit unterschiedlichen Menschen aus verschiedenen soziokulturellen Milieus zusammenzuarbeiten und sich gemeinsam für das Radio zu engagieren. Das Freie Radio ist ein sozialer Ort und ein Erfahrungsraum zugleich. Die Jugendlichen müssen sich ihn nur aneignen.

5. Freies nichtkommerzielles Lokalradio als sozialer Ort, sowie Erfahrungs- und Aneignungsraum

5.1 Die Radiostation als sozialer Ort

Viele nichtkommerzielle Radiostationen sind räumlich in alternativen Gewerbehöfen, Zentren oder alternativen Stadtteilen eingebunden. Das Ambiente der Zentren ist geprägt von Kneipen, Cafés, Veranstaltungsräumen, Kollektiv-Betrieben und Wohnprojekten.

Die nichtkommerziellen Radiosender sind Teil dieser Alternativkultur und folglich ist es kein Zufall, daß der Ort des Radios auch räumlicher Bestandteil der Struktur dieser Zentren ist. Aufgrund der gemeinsamen Lage profitieren sowohl das Zentrum als auch das Radio von dieser Situation. Sei es, daß RadiomacherInnen nach der Sendung ins Café nebenan gehen oder daß Sendungen aus dem Café auch live übertragen werden können und somit unter anderem auch das Radio einen Werbefaktor für das Café des Gewerbehofs darstellt. Die freien Lokalradios sind ein sozialer Ort, an dem Menschen aus verschiedenen sozialen Milieus die Chance haben, voneinander zu lernen und sich kennenzulernen.

"Leute aus unterschiedlichen Milieus und Lebenswelten, die sonst eher in voneinander abgegrenzten Lebensbereichen Erfahrungen sammeln, treffen an diesen selbstorganisierten Medienorten zusammen und können zu neuem gemeinsamen (gesellschaftlichen) Handeln finden, können zumindest aber die 'Anderen' und das 'Anderssein' wieder bewußt wahrnehmen und sich damit auseinandersetzen." (Grieger 1998, S.102)

Ob ImmigrantInnen, Polit-Freaks, Techno-Fans, usw.; sie sind alle in einem nichtkommerziellen Lokalradio anzutreffen und arbeiten in ihren Radiogruppen oder Fachredaktionen autonom. Die einzelnen Gruppen haben einen festen Sendeplatz innerhalb eines Programmschemas und sind Bestandteil des Gesamtradios.[14] (vgl. Programmschemas im Anhang)

---

14 Mit Ausnahme von einigen Frauen- und Lesbenradiogruppen, die nicht in einem patriarchal geprägten Radio mitarbeiten wollen. Sie nutzen zwar die Frequenz des freien Lokalradios, wollen sich aber an den patriarchalen Strukturen nicht abarbeiten, sondern sich einen eigenen, geschützten Frauenraum in dem Radioprojekt schaffen.

Gerade die Örtlichkeit des Radios und die vielfältigen Partizipationsangebote (Plena, Arbeitsgruppen, Fortbildungsworkshops) bringen unterschiedliche Menschen zusammen und lassen das Freie Radio als sozialen Ort lebendig werden.

"Mir hat's ziemlich viel gebracht, daß ich wahnsinnig viele Leute kennengelernt habe und auch neue Meinungen. Auch ältere Leute. Der eine, der mit mir Sendungen macht, das ist einer, der lebt von zwei Mark am Tag, arbeitet nicht, das ist sehr interessant, solche Leute kennenzulernen, die sich von allen Zwängen losgesagt haben, oder andere waren an der Nadel und können davon erzählen, wie sie davon losgekommen sind. Man bekommt eine unheimlich große Lebenserfahrung von anderen mit. Das war ein ziemlich starker Schritt aus meinem Suppentopf heraus. Aus meiner kleinen Welt raus."
(Interv. KANAL Ratte, 1998)

Die Möglichkeit, im Freien Radio aktiv mitzuarbeiten, gilt formal für alle Menschen. In einem nichtkommerziellen freien Lokalradio darf prinzipiell jeder und jede Hörfunksendungen produzieren und ausstrahlen, sofern die Sendungen mit den Redaktionsstatuten und den Zielen des Freien Radios übereinstimmen. Allerdings ist es offensichtlich, daß in den allermeisten Radios der Großteil der RadiomacherInnen ein relativ hohes Bildungsniveau besitzt (z.b. ist der Anteil von ArbeiterInnen und Jugendlichen aus der Unterschicht sehr gering). Viele RadiomacherInnen haben die gleichen Attribute, z. B. Sprachkompetenz und Zeitsouveränität, genau wie viele AktivistInnen aus den neuen sozialen Bewegungen. (vgl. Stamm 1988, S.280)

Einige Radiostationen, wie z.b. die "Wüste Welle" in Tübingen, wollen "unterprivilegierte" Jugendliche für das Radio gewinnen.[15] MitarbeiterInnen gehen in Schulen und Jugendzentren, besuchen Stadtteilfeste in den sogenannten "sozialen Brennpunkten", um Jugendliche aus diesen Stadtteilen für die aktive Radiomitarbeit zu werben, damit auch diese Jugendlichen sich ein Medium für ihre Alltagskultur aneignen können.

Gerade für diese Jugendlichen ist es sinnvoll, mehr Angebote im Radio zu schaffen, weil beim Erwerb von Medienkompetenz der Einfluß von Familie, Schule und der Peer Group groß ist, also der soziale Faktor eine große Rolle spielt. (vgl. Langenbucher/Fritz 1988, S.167-173) Sogenannte Minderprivilegierte haben die gleichen Fähigkeiten, Hörfunksendungen zu produzieren, wie sozial besser gestellte Jugendliche. Ein Mitarbeiter der "Wüsten Welle" berichtete davon, daß gerade bei Themen auf kulturellem Gebiet, wie Musik und Mode, HauptschülerInnen *"jedem Gymnasiasten das Wasser reichen können."* *(Interview. Stefan Wüste Welle, 1998)*

Die Einzelredaktionen in Freien Radios sind sehr unterschiedlich und produzieren selbstverantwortlich ihre Hörfunksendungen. Dieser Autonomiestatus muß aber nicht eine Separation gegenüber dem Gesamtprojekt bedeuten, da die Möglichkeit besteht, mit anderen Redaktionen gemeinsame Projekte zu gestalten oder in verschiedenen Arbeitsgruppen (z.b. Öffentlichkeitsarbeit, konzeptionelle Weiterentwicklung des Senders, etc.) mitzuarbeiten und Partizipationsangebote (Vollversammlungen, Fortbildungen, etc.) des Radios wahrzunehmen. Allerdings bedeutet dies wiederum einen großen Zeitaufwand. Wenn man bedenkt, daß das Produzieren von Hörfunkbeiträgen Arbeit mit enormen Zeitaufwand erfordert, verwundert es nicht, daß die Mitglieder der autarken Einzelredaktionen sich nur vereinzelt am Gesamtprojekt aktiv beteiligen. (vgl. Kapitel 6)

Wenn Auseinandersetzungen im Radio stattfinden, dann kann es zur Folge haben, daß es zu gemeinsamem Handeln kommt, wie in Tübingen, als das Freie Radio "Wüste Welle" zur *"Love and Hate Parade gegen Vertreibungspolitik in den Innenstädten"* aufrief und unterschiedliche Menschen im Radio sich an der Aktion beteiligten.

"Vermeintlich unpolitische Techno DJs gingen gemeinsam mit linken Gruppen auf die Straße - eine Initiative, die ohne die oft nervenaufreibenden Auseinandersetzungen im Freien Radio kaum möglich gewesen wäre." (Sickinger 1998, S.16)

Trotz aller Pluralität der Einzelredaktionen kann es Bezugspunkte zum Gesamtprojekt geben. Vor allem bei gemeinsamen Aktivitäten kann kollektive und kulturelle Identität hergestellt werden. Durch die Einbindung der Radiogruppen in das Gesamtprojekt, z.B. bei Benefiz- und Jubiläumsfesten, wird ein Bezug zum Freien Radio als Ganzem hergestellt. Bei meinem Besuch des Freien Radios "Wüste Welle"in Tübingen konnte ich am Jubiläumsfest teilnehmen und beobachten, wie die einzelnen Gruppen sich für das Gelingen des Festes engagierten. Wenn die Jugendradio-

---

15 Ähnlich Radio Dreyeckland in Freiburg, das sich um die Mitarbeit von ausländischen Jugendlichen und ImmigrantInnen bemüht, die in der interkulturellen Jugendradiogruppe „Misch-Kult" mitmachen können.

gruppe Pizza verkauft, die Inforedaktion den Bierstand betreut und die ImmigrantInnen an der Kasse sitzen, dann können solche Festaktivitäten durchaus identitätsstif-
tend für das Gesamtprojekt sein. Außerdem geht es über den Rahmen des Hörfunk-
sendungen-Produzierens hinaus und eröffnet somit neue kulturelle Spielräume und
Erfahrungen, wie es der Kultursoziologe Hermann Glaser laut Clobes/Paukens/
Wachtel, fordert:

> "Ihm geht es vorrangig darum, Bedingungen zu schaffen, die Spielräume kultureller Erfah-
> rung ermöglichen, in denen es dem einzelnen und der Gruppe gelingen kann, durch Selbst-
> gestaltung und Mitwirkung in einer komplexen Gesellschaft individuelle und kollektive
> Identität herzustellen." (Clobes/Paukens/Wachtel 1992, S. 43)

Freie nichtkommerzielle Lokalradios sind ein geeigneter Ort für kulturelle und soziale Erfahrungen, denn in den etablierten Kultureinrichtungen verbleibt das Individuum (so progressiv das Kulturangebot auch sein mag) letztendlich immer in einer
passiv-konsumptiven Rolle. Im Kulturort Freies Radio können Menschen einfach
mal vorbeikommen, sich den Sender anschauen, sich mit den Programmkoordinator-
Innen unterhalten; und wer Lust hat, kann sich für einen Radio-Workshop für Ein-
steigerInnen anmelden, die regelmäßig angeboten werden. Die Mitarbeit in einem
freien nichtkommerziellen Radio stellt eine umfassende Kulturtätigkeit dar, im Sinne
von

> "Erweiterung des Handlungsraums über medial-ästhetische Ausdrucksformen und Ausdrucksräume.
> Eine so verstandene Kulturarbeit grenzt sich von einem rezeptiven Kulturverständnis ab, das primär
> einen adäquaten Umgang mit hochbewerteten Genres der Musik, Literatur und Kunst beinhaltet. In
> der Kulturarbeit geht es dagegen um Aneignungs-und Ausdrucksformen und Selbermachen."
> (Böhnisch /Münchmeier 1990, S.106)

Die Mitarbeit in einem Freien Radio ist eine Form von Kulturarbeit, in der Räume
sozial angeeignet werden und Erfahrung verarbeitet sowie neue Erfahrungen gemacht werden können. Der Aneignungs- und Erfahrungsprozeß findet bei den Pro-
duktionen der Hörfunksendungen statt, aber auch bei den Live-Übertragungen von
Kulturveranstaltungen.

5.2. Erfahrungsraum Radio

Der Erfahrungsraum Radiostation ermöglicht eine Vielzahl von Lern- und Bildungsprozessen. Lernen in einem sehr allgemeinen Sinne kann nach der Definition des Erziehungswissenschaftlers Hermann Giesecke bedeuten:

> "die produktive und auf Förderung angewiesene Fähigkeit des Menschen, Vorstellungen, Gewohnheiten, Einstellungen, Verhaltensweisen und Fähigkeiten aufzubauen bzw. zu verändern." (Giesecke 1990, S.48)

Wenn durch Lernprozesse das vorher mitgebrachte Muster verändert wird, dann bezeichnet dies Hermann Giesecke als Erfahrung. (vgl. Giesecke 1990, S.57)

Gerade der Erfahrungsraum Radio mit Reflexions- und Kommunikationsmöglichkeiten ermöglicht einen Austausch, um Vorurteile zu verändern und andere Menschen in ihrer Verschiedenheit als Bereicherung anzusehen. In der Jugendredaktion des Radios "Wüste Welle"arbeitet ein blinder Jugendlicher mit, und in der Anfangszeit wurde der Junge aufgrund der Behinderung zum Außenseiter. Durch die Thematisierung des Problems, u.a. auch durch eine Intervention des ehrenamtlichen Programmkoordinators, wurden die Vorurteile gegenüber "behinderten Menschen" abgebaut. Der Jugendliche ist inzwischen in die Redaktion integriert und kann sowohl mit anderen Redaktionsmitgliedern als auch aufgrund technischer Veränderungen (Blindenschrift am Mischpult) selbständig Sendungen produzieren.

In einem anderen Fall machte ein Radiomacher aus Schopfheim die Erfahrung, daß seine Vorstellung über die BesucherInnen des soziokulturellen Zentrums, in dem das freie nichtkommerzielle Lokalradio KANAL Ratte Schopfheim sendet, ein Vorurteil war:

> "Früher habe ich gedacht, Irrlicht (Name des soziokulturellen Zentrum) ist dreckig, da hocken nur die Punks rum, hören Musik, die mir nicht gefällt, irgendwelche Schmuddeltypen, da will ich nichts zu tun haben. Inzwischen habe ich gemerkt, daß die meisten Leute da schwer in Ordnung sind." (Interview Jugendradio Schopfheim, 1998)

Für die Jugendlichen ist das Freie Radio auch ein Erfahrungsraum, in dem sie nicht dem Leistungsdruck und der Fremdbestimmung unterworfen sind, wie das z. B. in der Schule der Fall ist. Die Themen, die die Jugendlichen bearbeiten, die Musikstükke, die sie ausstrahlen, sind selbstbestimmt und haben einen Bezug zu ihrer Lebenswelt. (vgl. Kap.6)

Im Freien Radio hat die Jugendkultur ihr Zuhause und bietet ein Experimentierfeld für kulturelle und auch soziale Erfahrungen. Für Horst Niesyto ist die Erfahrungsproduktion mit dem Alltagsleben und der Lebenswelt der Jugendlichen verbunden:

> "Authentische Erfahrungsproduktion geht von dem Alltag und der Lebenswelt der Jugendlichen aus und fragt nach dem Erleben der Wirklichkeit, nach den Selbsteinschätzungen und -bildern, nach den Orientierungsmustern für die Lebensbewältigung. Wesentlich sind Prozesse der Selbstaneignung, d.h. die bewußte produktive Verarbeitung von mittelbaren und unmittelbaren Erfahrungen." (Niesyto 1990, S. 77)

Das Freie Radio steht den Jugendlichen als Erfahrungsraum und zur Verarbeitung unterschiedlichster Erfahrungen zur Verfügung. Ob SchülerInnenstreik, Konzertbesuch oder Sportereignis, alle Erfahrungen, die für die Jugendlichen nach eigenem Empfinden relevant sind, können in die selbstproduzierten Hörfunksendungen einfließen.

5.3. Sozialräumliche Aneignung im Freien Radio

Nachdem das Freie Radio als sozialer Ort und Erfahrungsraum skizziert wurde, ist es notwendig, den Aneignungsprozeß des Sozialraums Radio zu beleuchten. Horst Niesyto geht davon aus, daß soziale Aneignung die Grundbedingung für authentische Erfahrungsproduktion ist.

> "Erfahrungsproduktion setzt voraus, daß sich Jugendliche soziale Räume aneignen können, daß ihre Relevanzsetzungen, Verarbeitungsformen, Ausdrucksfähigkeiten und Zeitstrukturen Grundlagen des Aneignungsprozesses sind."(Niesyto 1990, S.77)

Die Relevanzsetzung bezüglich der Gestaltung der Radiosendungen liegt ganz in der Hand der Jugendlichen. Manchmal zum Leidwesen der ProgrammkoordinatorInnen, die sich mehr inhaltliche und politischere Beiträge in den Sendungen wünschen und weniger Musikprogramme. (wobei diese nicht per se unpolitisch sein müssen) Neben dem Inhalt wird auch die ästhetische Form der Sendungen (Verarbeitungsform) von den Jugendlichen selbstbestimmt. Das gleiche gilt für die Ausdrucksfähigkeit. Die Jugendlichen müssen sich nicht einer normierten Radiosprache bedienen und können sich in ihrer Alltagssprache ausdrücken. Die Zeitstrukturen eines freien Radios sind mit den Zeitstrukturen der Jugendlichen kompatibel. So sind die Radiostationen während der Freizeit der Jugendlichen geöffnet. Auch stehen den Jugendlichen AnsprechpartnerInnen (sogenannte Programm-KoordinatorInnen) zur Verfügung. (vgl. Kap. 6.)

Mit dem nichtkommerziellen freien Radio verfügen die Jugendlichen über einen sozialen Ort und Erfahrungsraum, den sie sich sozialräumlich aneignen können. Der sozialräumliche Aneignungsprozeß ist aber nicht auf das Radio als Örtlichkeit begrenzt, sondern wenn z.b. Live-Sendungen aus Jugendzentren, Cafés oder von Demonstrationen etc. ausgestrahlt werden, dann wird der soziale sowie auch der kommunikative Raum erweitert. Hinzu kommen noch weitere Qualifikationen, die die Jugendlichen bei Live-Sendungen erwerben.

Wenn der Freiburger Radiosender "Radio Dreyeckland" live aus dem Jugendzentrum Staufen sendet, bedeutet dies für die beteiligten Jugendlichen im Vorfeld der Live-Sendung, die Gestaltung des Veranstaltungsraums, Beteiligung am Bühnenaufbau für die Live Bands und die Interviewpartner, sowie Installation der Technik für die Radio-Live-Übertragung. (vgl. RDL-Doku.Jugendradio 1995, S.8-13) Gerade die Möglichkeit, Live-Sendungen auszustrahlen, ist ein nicht unwesentlicher Vorteil der aktiven Jugend-Medien-Arbeit bei Freien Radios im Vergleich zu anderen Beteiligungsmodellen im Hörfunk wie z.B. *Offene Kanäle*, oder *BürgerInnenfunk* wo Live-Übertragungen kaum oder gar nicht möglich sind.

Das Freie Radio ist zugleich Produktions- und Ausstrahlungsort der Sendungen. Zum Strukturmerkmal eines Freien Radios gehört auch das Telefon als Kommunikationsmittel. Während der laufenden Sendungen können HörerInnen anrufen und live auf dem Sender Kritik oder Lob aussprechen. Dies fördert eine Kultur der Kommunikation. Der offene Zugang zum Sender ist meines Erachtens eine weitere Überlegenheit des Beteiligungsmodells Freies Radio im Vergleich zum BürgerInnenfunk in Nordrhein-Westfalen, wo vorproduzierte Bänder beim kommerziellen Privatradio abgegeben werden müssen.

Bei meinen Besuchen der Freien Radios konnte ich öfters beobachten, daß der offene Zugang zum Sender, inklusive der Aneignungsmöglichkeit des Studios als sozialen Raumes während der Sendungen des Jugendradios, das Freie Radio in ein Jugendzentrum verwandelt. Die FreundInnen der RadiomacherInnen kamen vorbei und hörten sich gemeinsam die Sendungen an. Die Jugendlichen erzählten mir, daß es auch schon vorkam, daß die Zuschauenden dann beim nächsten Mal zu Sendenden wurden, weil der Besuch der Jugendredaktion während der Ausstrahlung der Radiosendungen sie angeregt hatte, selbst aktiv zu werden. Bei der sozialräumlichen Aneignung des Studios finden die Jugendlichen auch einen Raum vor, in dem die Produktionsmittel zur Anfertigung und Ausstrahlung einer Rundfunksendung (Bandmaschinen, Aufnahmegeräte, Mischpult, Musikarchiv, Mikrophone usw.) nicht, wie in einer kapitalistischen Gesellschaft in der Regel üblich, *Privateigentum* sind, sondern der **Allgemeinheit** zugänglich sind. Für Ulrich Deinet ist die Kategorie des Raumes

"entsprechend der Struktur der kapitalistischen Gesellschaft auch ein Raum, der durch kodifizierte Regelungen, Machtbefugnisse, Herrschafts- und Eigentumsansprüche verregelt ist." (Deinet 1990, S. 58)

Unterstützt wird der soziale Aneignungsprozeß oftmals durch ein ästhetisches Ambiente, welches nicht abschreckt, sondern der Lebenswelt Jugendlicher entspricht, wie eine 14- und eine 15-jährige Radiomacherin des Mädchenradios der "Wüsten Welle" bestätigen:

"Als ich das erste Mal hierhergekommen bin, war ich echt überrascht - Ich habe mir nämlich vorgestellt, daß hier so Ledersitze sind und alles so schön ist, so ganz weiße Wände und so. (...) Das ist wie zuhause, du kommst hier rein und es sieht so aus wie in einer Bruchbude und du fühlst dich gleich wohl. Hier kann auch jeder Dreck machen, wenn er wieder aufräumt." (Interview. Mädchenradio Wüste Welle, 1998)

Ein freies nichtkommerzielles Lokalradio ist ein sozialer Ort und Erfahrungsraum, der zwar institutionelle Züge an sich hat, aber noch nicht verinstitutionalisiert oder vollkommen pädagogisiert ist. (vgl. Kap.6)

Somit ist das freie, nichtkommerzielle Lokalradio ein kulturelles Forum, das die Möglichkeit bietet, vielfältige und multikulturelle Kultur erfahrbar zu machen und zu gestalten. Denn:

"Kultur bedeutet Leben, Lebendigkeit, spielt sich außerhalb (geschlossener) pädagogischer Enviroments ab - Kultur ist nicht programmierbar, nicht beeinflußbar, nicht antizipierbar - ihre Entwicklung vollzieht sich kaleidoskopisch, anders als Pädagogen vermuten." (Volkmer 1995, S.132).

6. Medienarbeit in Jugendradiogruppen in Freiburg, Stuttgart, Schopfheim und Tübingen

6.1 "Radio Dreyeckland" (RDL) in Freiburg

"Radio Dreyeckland" (RDL) ist das älteste legale freie Radio in der Bundesrepublik. Diese Radiostation war der Motor der freien Radiobewegung in Süddeutschland. Ohne dieses Radio würde es in Baden-Württemberg keine nichtkommerziellen freien Lokalradios geben, weil dieses Projekt Vorbildfunktion hatte und sowohl ideologisch als auch teilweise personell am Aufbau der anderen nichkommerziellen Radiostationen in diesem Bundesland beteiligt war.

Aufgrund der Geschichte von RDL - das Radio mußte sich die Sendelizenz und -frequenz erkämpfen und strahlte vorher als Piratensender illegal Sendungen als Teil der Anti-Atomkraftbewegung aus (vgl. Kap.2) - hat dieser Sender auch heute noch eine explizit linke politische Ausrichtung. Der Sender gilt als Radio der Gegenöffentlichkeit - mit Nachrichtensendungen, einem wöchentlichen Ökomagazin, der "Schwulen Welle"und dem Frauen- und Lesbenmagazin sowie regelmäßigen Sendungen von ImmigrantInnen und Flüchtlingsgruppen. Trotzdem steht in diesem Radioprojekt die politische Berichterstattung nicht mehr so im Vordergrund. Ein hoher Anteil von Musiksendungen jeglicher Stilrichtung bestimmt das Hörfunkprogramm. (vgl. Anhang Programmschema RDL)

Die Studios und Sendeanlagen sind im alternativen Wohnprojekt "Grether Gelände" untergebracht. In diesem Areal sind Selbsthilfeprojekte und ein selbstverwaltetes Café (Strandcafé) untergebracht. Die Radiostation ist Teil dieses alternativen Milieus, in dem Subkultur entstehen kann.

Finanziert wird das Radio von Mitgliedsbeiträgen der ca. 2500 Mitgliedern des Freundeskreises "Radio Dreyeckland". Hinzu kommen noch Einnahmen von selbstorganisierten Festen, Konzerten und Zuschüsse von Stiftungen. Werbung lehnt das Radio kategorisch ab, um nicht abhängig von Einschaltquoten zu werden.

In der aktiven Jugend-Medien-Arbeit hat der Freiburger Sender eine lange Tradition. So strahlt RDL jeden Sonntagnachmittag die Sendungen der Jugendradiogruppe

69

"Juventud" aus. Von 1993 bis 1994 gab es das Projekt "Jugendradio im Dreyeckland", um Jugendliche aus den Dörfern und Gemeinden in der ländlichen Region um Freiburg die Möglichkeit zu geben, das Medium Radio für sich zu nutzen. Es wurden Live-Sendungen aus den Gemeinden durchgeführt und zwei Radiogruppen sendeten auch nach Ende der Projektzeit bei RDL weiter. (vgl. RDL-Doku. 1995) Im Sommer 1997 ging das interkulturelle Jugendradio "Misch/Kult" auf Sendung. Das Ziel von "Misch/Kult" ist es, den Austausch von unterschiedlichen Gruppen aus unterschiedlichen Herkunftsländern zu fördern.

Für die Jugendradiogruppe "Juventud", die Gegenstand der Betrachtung im folgenden sein wird, sind zwei Honorarkräfte als ProgrammkoordinatorInnen eingestellt worden. Beide Mitarbeiter können auf Radioerfahrung zurückgreifen. Ein Mitarbeiter war von 1993 bis 1994 als Jugendlicher aktiv als Projektbetreuer des Projekts "Jugendradio im Dreyeckland"beteiligt. Heute studiert er im Aufbaustudiengang an der Hochschule in Freiburg Medienpädagogik. Seine Kollegin studiert ebenfalls ein pädagogisches Fach. (Politik, Deutsch, Französisch auf Lehramt) Bevor sie als Programmkoordinatorin angestellt wurde, kam sie zu RDL, weil sie als Schülersprecherin eine Sendung über marode Schulen in Freiburg und Umgebung machen wollte. Dies zeigt, daß die freien, nichtkommerziellen Lokalradios zunehmend ein Arbeitsfeld für angehende und ausgebildete PädagogInnen werden. Zu den Aufgaben der ProgrammkoordinatorInnen für den Jugendbereich gehört es u.a. als AnsprechpartnerInnen zu fungieren und die Interessen der Jugendlichen im Gesamtprojekt zu vertreten. Sie sehen ihre Aufgaben auch darin, die Jugendlichen zur Auseinandersetzung mit Sendeformen und Technik anzuregen und Kontakt und Kooperation mit anderen Einrichtungen herzustellen, in denen Jugendliche verkehren.

6.1.1 Jugendradiogruppe "Juventud"

Die Jugendradiogruppe "Juventud" gehört wohl zu den ältesten Jugendradiogruppen der freien Radios in der Bundesrepublik. Seit der Legalisierung von RDL produzieren Jugendliche autonom und selbstbestimmt in dieser Jugendradiogruppe.

Im Rahmen meines Besuches der Jugendradiogruppe waren sieben Jugendliche im Alter von 15 und 20 Jahren anwesend. (5 Frauen und 2 Männer) Einzige Voraussetzung um partizipieren zu können, ist der Besuch eines Einführungs-Radioworkshops.

In diesem Radioworkshop liegt der Schwerpunkt auf der Vermittlung von Basiskenntnissen im Hinblick auf die Sendegestaltung. Der Besuch des Einführungsworkshops ist verbindlich, weil die Studiotechnik (Bandmaschinen, Dat-Geräte, Mini-Disc und Mischpult) vor Fehlbedienung geschützt werden sollen. Das Radio bietet kontinuierlich Spezial-Workshops zu verschiedenen Themen, die das Radio als Institution und den Produktionsprozeß betreffen, an. (z.B. Schreiben fürs Sprechen, Stimmtechnik, Arbeit im mobilen Studio etc.)

Damit das Partizipationsangebot, aktiv im Freien Radio mitzuwirken, auch Jugendliche erreicht, die nicht primär in der Alternativszene verkehren, kooperiert der Sender mit Einrichtungen der Jugendhilfe. So kam ein Jugendlicher über das Jugendhilfswerk Freiburg[16] zur "Radiogruppe"Juventud. Ein anderer Jugendlicher kam aufgrund eines Aushanges über das Jugendradio an seiner Schule. Der Sender bemüht sich mit Schulen zusammenzuarbeiten. Zur Zusammenarbeit mit der Gesamtschule Staudinger in Freiburg kam es im Rahmen von Projektwochen, in denen RDL für die SchülerInnen Radioworkshops anbot. Die Workshops führten die ProgrammkoordinatorInnen durch, die auch ein Bindungsglied zwischen Gesamtradio und Jugendradiogruppe sind.

Für die allermeisten Jugendlichen bei "Juventud" ist es nicht problematisch, wenn die ProgrammkoordinatorInnen Gruppenaufgaben, wie z. B. Teilnahme am Plenum, übernehmen. Sie betonen zwar ihre Eigenständigkeit, *"Wir wollen keinen Chef hier" (Interv. RDL, 1998)*, fühlen sich aber damit überfordert, neben der Radiogruppenarbeit auch noch Zeit und Energie fürs Gesamtprojekt aufzubringen. Eine junge Radiomacherin findet es nicht gut, daß es die ProgrammkoordinatorInnen gibt, sieht aber die Notwendigkeit, weil, *"ohne die würde gar nichts mehr oder weniger laufen." (Interv. RDL, 1998)*

---

16 Das Jugendhilfswerk Freiburg e.V. ist eigenständiger Träger der freien Jugendhilfe und unterhält in Freiburg vier organisatorisch unabhängige Einrichtungen, die im Verbund zur Förderung benachteiligter Jugendlicher arbeiten. (vgl. Frahm 1996, S.38)

Die Jugendlichen berichten von dem Problem, sich mit dem Gesamtradio zu identifizieren, weil die Unterschiede zwischen den einzelnen Redaktionen zu groß sind. Eine Radiomacherin findet, daß das Radio zu sehr von Männern dominiert wird:

"Es gibt wahnsinnig viele Macker im Radio." (Interv.RDL,1998)

Sie kam zum Radio, weil es ihr nicht genügte, nur mit einem Leserbrief an die örtliche Tageszeitung ihre Wut über die täglich stattfindende Frauendiskriminierung auszudrücken. Eine andere Radiomacherin hört sich nur selten RDL an, da sich ihre Interessen offenbar nicht mit den anderen Radiosendungen decken:

"Meistens interessieren mich die Sachen, die da kommen nicht so sehr." (Interv.RDL 1998)

In der Jugendradiogruppe "Juventud" können die Jugendlichen Themen bearbeiten, die sie interessieren und die mit ihrer Lebenswelt zu tun haben. So produzierte eine Radiomacherin eine Sendung über Piercing, weil sie selbst gepiert ist und ein Radiomacher, der ein Fan der Rockband "The Doors" ist, gestaltete eine Sendung über die Musikgruppe. Zur Vorbereitung las er mehrere Biographien der Band-Mitglieder (Also kann Radio machen auch das Lesen fördern!) und suchte die passenden Musikstücke zur Sendung heraus.[17]

Durch die aktive Radioarbeit hat sich bei den Jugendlichen das Verhältnis zur Sprache verändert. Alle befragten Jugendlichen bei RDL haben den Eindruck, durch die Mitarbeit bei "Juventud" mehr sprachliches Feingefühl erworben zu haben und mit Sprache anders umzugehen. Ein Radiomacher hat die Erfahrung gemacht, daß er trotz Sprachfehler, der sich durch das Sprechen im Radio nach seinen Angaben erheblich verbessert haben soll, in der Lage ist, Hörfunksendungen zu moderieren. Genauso sieht es das Konzept Freies Radio als Ort der authentischen Öffentlichkeit vor, wo Menschen mit ihrem Dialekt, ihrer individuellen Aussprache, hörbar werden. (vgl.Kapitel 2.3)

---

17 Weitere Themen, die die Jugendradiogruppe „Juventud"in letzter Zeit bearbeitet hat, waren Obdachlosigkeit, Wagenburgen, Castor-Transporte und Boy Groups.

Bei der Jugendradiogruppe "Juventud" ist es möglich, alleine eine Sendung oder gemeinsam mit der Gruppe zu produzieren. Die Jugendlichen nehmen beide Möglichkeiten wahr. Musiksendungen haben einen großen Stellenwert bei der Jugendradiogruppe "Juventud". Nach Schätzungen der Jugendradiogruppe liegt der Anteil der von ihnen produzierten Musiksendungen bei ca. 85 %. Das Musik so eine große Bedeutung für Jugendliche hat, verwundert nicht, wenn man das Freizeitverhalten von Jugendlichen betrachtet. Nach der Jugendstudie 1997 des "Jugendwerks der Deutschen Shell AG"ist Musikhören eine der häufigsten Freizeitbeschäftigungen Jugendlicher. (vgl. Jugendwerk-Shell 1997, S.343) Musik bietet den Jugendlichen die Möglichkeit, sich von der Welt der Erwachsenen abzugrenzen, indem sie z.B. Musikpräferenzen auswählen, die von der Mehrheit der Erwachsenen abgelehnt bzw. nicht gemocht werden. Musik kann auch als Rückzugsmöglichkeit bei Problemen genutzt werden und ist im Gesamt-Erlebnisraum ein fester Bestandteil. (vgl. Baacke 1997, S. 9-18) Alle Jugendkulturen von Punks, Rockern, Techno-Freaks, Mods, Hippies bis zu den Poppern oder Fußballfans sind ohne Musik als wichtigem Stilmittel der jeweiligen Jugendszene nicht vorstellbar. Die Jugendkultur in den Neunzigern unterscheidet sich aber von der Jugendkultur der sechziger Jahre.

> "Musik, Mode Outfit und Styling schaffen eine Jugendkultur, die hedonisitisch-manieristisch orientiert ist und sich keinesfalls mehr am Protestverhalten orientiert. Das Appellverhalten der 'kritischen' Schülergeneration der sechziger Jahre ist einem Ausdrucksverhalten gewichen, das zunächst der Identitätsdarstellung dient, hier hat die Musik seit jeher eine führende Rolle." (Baacke/Vollbrecht 1996, S. 65)

Diese jugendkulturelle Erscheinungsform ist auch bei den Jugendradiogruppen der nichtkommerziellen freien Lokalradios beobachtbar, obwohl es dort auch noch Jugendliche gibt, die das Freie Radio zum Appellieren für eine andere, humanere, bessere Gesellschaftsform ohne Ausbeutungsverhältnisse nutzen wollen und das Medium als Produktionsmittel zur Herstellung von Gegenöffentlichkeit sehen.
Aber dies ist nicht die Mehrheit der jungen RadiomacherInnen in den Jugendredaktionen. Viele Jugendliche lassen ihre Lieblingsmusik laufen und behandeln ihre Themen, die auf den ersten Blick nicht als politisch erscheinen. Bei RDL machen die ProgrammkoordinatorInnen den Jugendlichen auch Vorschläge zur Sendegestaltung.

"Es sind ihre Ideen und wir machen Vorschläge. Wenn die aber nicht wollen, dann wollen sie halt nicht. Die Redaktion soll schon eigenständig sein." (Interv. Programmkoord. RDL, 1998)

Die Jugendlichen der Jugendredaktion sind nicht nur eigenständig, sie haben auch einen Freiraum bei RDL. Jugend bedeutet im Kontext von Jugendredaktion bei RDL einen Schonraum, in dem die politischen Ansprüche des alternativen Senders weniger Gewicht im Vergleich zu anderen Redaktionsgruppen haben. Somit wird das soziale Konstrukt Jugend[18] auch im Radio anerkannt.

> "Die haben hier so eine Art Spielwiese, können sich Sachen erlauben, die sich keine andere Redaktion erlauben durfte, was Musik angeht,[19] irgendwelche Sprüche." (Interv. Programmkoord. RDL, 1998)

6.2 "Freies Radio für Stuttgart"

Das "Freie Radio für Stuttgart e.V." sendet in der 562 000 Einwohner zählenden Landeshauptstadt seit 1996 mit 100 Watt auf einer 24 Stunden Frequenz. Allerdings ist der Empfang aufgrund der Topografie Stuttgarts für die RadiomacherInnen sehr unbefriedigend. Die Reichweite umfaßt ca. 60 000 potentielle HörerInnen. (vgl. BFR-Rundbrief Nr. 8, 1997)

Im Radio arbeiten ca. 37 Redaktionen und im Förderverein finanzieren 400 Mitglieder mit ihren Beiträgen das Freie Radio mit. Es gibt eine ABM-Kraft[20] im Büro und eine Honorarstelle für 10 Stunden die Woche für die Technik. Das Studio mit Büroraum ist im Unterschied zu den anderen in dieser Arbeit vorgestellten Freien Radios nicht in einem soziokulturellen Zentrum untergebracht, sondern in einem Wohnhaus in einem Stuttgarter Stadtteil nahe der Innenstadt.

---

18 In der Struktur moderner Gesellschaft ist Jugend ein soziales Konstrukt, das als handelnde Gruppe angesehen wird z.B. wie in dieser Arbeit als Jugendradiogruppe, oder als Kulturform. Jugend wird in dieser Gesellschaft institutionalisiert und wird somit auch Objekt der Pädagogik. (vgl. Scherr 1997 S.,91-126).

19 RDL achtet darauf, daß das Radio kein Hitradio ist. Es wird nicht gerne gesehen, wenn Musik aufgelegt wird, die zugleich in den Charts oder im Kommerzradio läuft. Es gibt eine Vielzahl von Musikspezialsendungen, wo Musik vorgestellt wird, die im anderen Hörfunk viel zu kurz kommt. (vgl. Programmschema)

20 Die Stelle ist eine Arbeitsbeschaffungsmaßnahme und wird vom Arbeitsamt finanziert.

Es gibt verschiedene Formen von Jugendradio im "Freien Radio für Stuttgart". Zum einen gibt es medienpädagogische Projekte, wo einmal wöchentlich Kinder und Jugendliche eine Stunde senden. Träger der Medienprojekte ist der Stuttgarter Jugendhausverein. Zum anderen gibt es eine Gruppe, die in ihrer Schule eine Radio AG hat und manchmal mit ihrer Lehrerin Sendungen für das Freie Radio Stuttgart produziert. Für diese Arbeit wurden Interviews mit der Jugendredaktion geführt, die jeden Montag einen festen Sendeplatz haben und die selbständig ohne medienpädagogische Betreuung ihre Sendungen produzieren und ausstrahlen.

6.2.1 Jugendredaktion

Sechs Jugendliche im Alter von 18 bis 22 Jahren (4 Frauen und zwei Männer) waren zum Zeitpunkt des Interviews (April 98) in der Jugendradiogruppe des "Freien Radios für Stuttgart"aktiv. Anders als in Freiburg haben die Jugendlichen keine für sie zuständigen ProgrammkoordinatorInnen, die auch schon mal für die Jugendlichen ins Gesamtplenum gehen und eine Art Verbindungsglied zu dem Gesamtprojekt sind. Im "Freien Radio für Stuttgart" ist es Pflicht an den Radioversammlungen (Plena) des Freien Radios teilzunehmen. Bei dreimaligem unentschuldigten Fernbleiben gibt es eine sogenannte Gelbe Karte. (Ähnlich wie beim Fußball) Wenn dann eine Redaktionsgruppe noch einmal unentschuldigt dem Plenum fernbleibt, verliert sie ihren Sendeplatz. Diese Regel gilt auch für die Jugendradiogruppe. Die Jugendlichen verfahren nach dem Rotationsprinzip, so daß immer eine andere Person als Delegierte/r am Gesamtplenum des Radioprojekts teilnimmt. Die Mitarbeit in dem Selbstverwaltungsgremium empfinden die Jugendlichen als anstrengend. Vor allem die langen Diskussionen sehen sie als sehr zeitraubend an.

"Die Selbstverwaltung treibt dann skurrile Blüten, wenn dann stundenlang über einen Firlefanz diskutiert wird. Deswegen geht man auch nicht so gerne ins Plenum." (Interv: FR. Stuttgart, 1998)

Durch die Verpflichtung zum Plenumsbesuch bekommen die Jugendlichen einen Einblick in die Organisation eines selbstverwalteten Projekts. Sie erfahren, wie mühsam es ist, an basisdemokratischen Entscheidungs- und Kommunikationsprozessen teilzunehmen. Gleichzeitig ist es eine Chance, die kommunikative Kompetenz zu stärken, vorausgesetzt die Jugendlichen nehmen aktiv am Diskurs teil. Desweiteren werden die Schwierigkeiten bei der Umsetzung des Konzepts Freies Radio erfahrbar gemacht, z. B. wenn festgestellt wird,

> *"das eben die Verständigung untereinander doch nicht so klappt und daß dieses an einem Strang ziehen, alle für dieselbe Idee, daß dieses Radio irgendwie überleben kann, das ist sehr schwer, das ist aber irgendwie auch eine Utopie (...) es ist schwierig solch einen Prozeß überhaupt zu verwirklichen." (Interv.: FR. Stuttgart, 1998)*

Die Identifikation mit dem Gesamtradio ist bei den Jugendlichen eher gering. Im Vordergrund stehen die eigene Radiogruppe und die selbstproduzierten Rundfunksendungen. Die Jugendlichen finden es gut, daß ein Freies Radio ihnen die Möglichkeit gibt, Radio zu machen. Der Kontakt zu anderen RadiomacherInnen außerhalb der Jugendredaktion ist eher gering.

> *"Wir haben nicht so viel mit dem Rest des Radios zu tun. Wir sind halt unsere Redaktion. Und mit den anderen Redaktionen arbeiten wir nur selten zusammen. Mit manchen überhaupt nicht. Wir sehen die zwar in den Plena. Aber mehr ist da nicht. Es sind halt auch zu viele andere Redaktionen." (Interv. FR. Stuttgart, 1998)*

Der Grund für das mangelnde Interesse an dem Gesamtprojekt hat weniger mit inhaltlichen Differenzen bezüglich des Konzepts Freies Radio zu tun, sondern mit der Größe des Gesamtprojektes und den unterschiedlichen Anliegen.

> *"Das Problem liegt auch darin, daß wir hier eine riesige Vielfalt haben. Jede Redaktion hat einen anderen Anspruch und will was anderes machen. (...)*
> *Wenn wir jetzt sagen, wir haben die Kino-News und Band -Interviews und jemand anders politisiert jetzt zwei Stunden lang in seiner Sendung. Da findet man keinen gemeinsamen Nenner." (Interv.: FR. Stuttgart, 1998)*

Auch in Stuttgart geht es den Jugendlichen nicht um "Appell-Verhalten", sondern um Ausdruck und Selbstdarstellung. Das Radio für politische Veränderung zu nutzen liegt ihnen fern. *"Gegenöffentlichkeit sagt mir nichts" (Interv.: FR. Stuttgart, 1998)* Jedoch daraus zu schließen, daß die Jugendlichen unpolitisch sind, greift zu kurz, weil die jungen RadiomacherInnen erkennen, daß das Freie Radio ihnen eine Partizipationsmöglichkeit gibt und ein Medium für die Selbstverwirklichung ist, wo sie authentisch sein dürfen.

"Für mich ist Freies Radio eben, wie der Name schon sagt, die Freiheit eben Radio zu machen, so wie ich es mir vorstelle. Mann kann halt nicht bei Antenne 1 (Kommerzsender in Stuttgart) reinkommen und sagen, ich spiele jetzt mal die CD und sag dies und jenes."
(Interv.: FR Stuttgart, 1998)

Der Spaß steht bei der Jugendredaktion im Vordergrund. Damit spiegelt die Jugendredaktion des "Freien Radios für Stuttgart" die Analyse des "Jugendwerks der Shell AG" (1997), die herausgefunden hat, daß zum Engagement Jugendlicher in den Neunzigern die Komponenten Spaß und Vergnügen dazugehören müssen. Ohne Spaß kein Engagement. Jugendliche bevorzugen Gruppen, in denen Spaß, Zerstreuung, Unterhaltung und ein unkomplizierter Umgang mit Gleichgesinnten möglich ist. (vgl. Jugendwerk-Shell 1998, S.20-21) Der Nahraum Radiogruppe bildet in erster Linie den Bezugspunkt der RadiomacherInnen, erst danach kommt die Außenwelt.

"Also ich würde sagen, primär geht es erstmal um uns selber. Das wir hier Spaß haben, unsere Musik spielen und so und dann in zweiter Instanz wie kommt es rüber, wie empfängt man uns." (Interv. FR Stuttgart,1998)

Allerdings bedeutet dies nicht eine Abkoppelung von RezipientInnen. Ein Merkmal des Freien Radios ist die Nutzung des Radios als Kommunikationsapparat. Die brechtsche Radiotheorie wird mit Hilfe des Telefons umgesetzt. Alle HörerInnen sind berechtigt, im Sender anzurufen und ihr Anliegen unzensiert über den Äther zu bringen. Für die Jugendlichen bedeuten die Anrufe, daß sie mit ihren Sendungen wahrgenommen werden.

"Die Leute können hier anrufen, und wenn drei Leute angerufen haben, dann wissen wir, daß mindestens drei Leute zugehört haben."(Interv.: FR. Stuttgart, 1998)

Mit der Zahl der AnruferInnen sind die Jugendlichen zufrieden, weil sie Verständnis haben, wenn Leute sich nicht getrauen zu sprechen. Einen Grund der eher geringen Beteiligung sehen die Jugendlichen im Umgang mit jungen Menschen in anderen Radiostationen.[21]

---

21 Meines Erachtens ist gerade im öffentlich-rechtlichen Jugendfunk (z.B. Eins Live in Nordrhein-Westfalen) verstärkt zu beobachten, daß Jugendliche, wenn sie auf Sendung sind, von den sprachlich geschulten ModeratorInnen nicht ernst genommen werden, sondern daß sie vorgeführt werden und Witze auf ihre Kosten gemacht werden. Ein „normaler"Umgang bzw. ein „normales"Gespräch mit Jugendlichen scheint in diesen von Rundfunkgebühren finanzierten „staatlichen Kommerzsendern"nur selten möglich zu sein.

"Die Leute trauen sich nicht anzurufen, weil sie immer denken, man nimmt sie auf den Sender, um sie durch den Kakao zu ziehen." (Interv. FR Stuttgart,1998)

Durch einen anderen Verhaltenskodex der RadiomoderatorInnen im Freien Radio können die RezipientInnen die Erfahrung machen, daß Kommunikation mit Jugendlichen bei Live-Sendungen im Hörfunk auch ohne "dumme Sprüche"möglich ist.

Die Hörgewohnheiten haben sich aufgrund der Mitarbeit im Freien Radio bei einigen Jugendlichen verändert. Es wird ein anderer Bezug zum Hörmedium Radio aufgebaut und die Medien-Kritikfähigkeit sowie die Medien-Nutzungskompetenz als Bausteine der Medienkompetenz werden gestärkt.

"Ich höre viel selektiver. Wenn mir etwas nicht paßt, dann schalte ich ab, das habe ich vorher nicht gemacht." (Interv. FR Stuttgart, 1998)

Für die RadiomacherInnen bedeutet die aktive Radioarbeit, neben dem Erwerb von Medienkompetenz beim Produktionsprozeß, auch ein hohes Maß an sozialer Kompetenz durch die Mitarbeit in einer Gruppe. Darüber hinaus kann die Tätigkeit in der Jugendradiogruppe zu mehr Selbstsicherheit führen.

"Durch die Interviews lernt man vielleicht, auch auf Leute zuzugehen, einfach Leute anzusprechen, wenn man etwas von ihnen will." (Interv.: FR Stuttgart, 1998)

"Das Radio machen hat mir auch gebracht, daß ich auch wo anders öffentlich reden kann. Also wenn z.B. eine Veranstaltung im Jugendwerk mit hundert Leuten ist, kann ich auch vor das Mikro und etwas sagen." (Interv.: FR. Stuttgart, 1998)

Die hinzugewonnene Selbstsicherheit korreliert mit der verbesserten sprachlichen Ausdrucksfähigkeit, die das kontinuierliche Produzieren von Rundfunkbeiträgen mit sich bringt.

"Das Radio hat mir auch sprachliche Sicherheit gebracht. Hat mir auch etwas für die Schule gebracht, wenn man ein freies Referat halten muß, da dachte ich früher, was sage ich jetzt, nur nicht stottern." (Interv.: FR. Stuttgart, 1998)

"Bei mir war's auch so, daß freie Sprechen irgendwie, daß freie Formulieren von Sätzen, daß einem das leichter fällt, nach' ner Weile." (Interv. FR Stuttgart, 1998)

Eine zweifelsohne wichtige Erfahrung sind die Reaktionen der Außenwelt für die RadiomacherInnen. Die Spannbreite geht von Ablehnung aufgrund des linken Images der Freien Radios,

> *"In meiner Schule heißt es dann schon einmal der Punker-Sender, weil sie denken, da senden nur die autonomen Punker." (Interv. FR Stuttgart, 1998)*

bis zu großer Anerkennung bei der Bewerbung für einen Ausbildungsplatz.

> *"Bei der Bewerbung habe ich erzählt, daß ich Radio mache und er hatte Respekt." (Gemeint ist der Arbeitgeber) (Interv. FR Stuttgart, 1998)*

6.3 Freies Radio "KANAL Ratte" in Schopfheim

Radio "KANAL Ratte" in Schopfheim ist das kleinste nichtkommerzielle Lokalradio in der Bundesrepublik Deutschland. Im August 1995 ging das Radio aus Schopfheim, einem kleinen Ort mit 18 Tausend EinwohnerInnen in der Nähe von Basel/Lörach, auf Sendung. Die Radiofrequenz ist sehr schwach (O,5 KW) und hat wegen der ungünstigen Lage nur eine geringe Reichweite; der einwandfreie Empfang liegt bei ca. 50 000 Haushalten. (vgl. Ahlers 1996, S.16)

Aufgrund der spezifischen geographischen Situation, nicht in einem Ballungsraum zu senden, ist es sehr schwierig, Mitglieder für das Radio zu werben. Es sind nur 100 Menschen Mitglied im Förderverein des Radios. Dementsprechend gering sind die finanziellen Einnahmen durch die Mitgliedsbeiträge, wo doch gerade sie eine wichtige Stütze zur Finanzierung von freien, nichtkommerziellen Radios sind.

Nur ca. 30 aktive RadiomitarbeiterInnen gestalten das Hörfunkprogramm der "KANAL Ratte". Die Besonderheit dieses Radiosenders ist, daß er, im Unterschied zu den anderen nichtkommerziellen Radiostationen, für Jugendliche auf dem Lande selbständig einen selbstverwalteten Ort anbietet, der eine Bereicherung des, im Vergleich zu den Städten, eher dürftigen Freizeitangebotes im ländlichen Gebiet darstellt.

Jedoch hat die Radiostation "KANAL Ratte"aufgrund der Größe und den damit verbundenen mangelnden finanziellen Ressourcen große Probleme, die Verwaltung und den Betrieb des Radios aufrechtzuerhalten. Es gibt nur eine ABM-Stelle, die auch noch für die Betreuung der offenen Sendeplätze für Kinder und Jugendliche zuständig sein soll. In einem Erfahrungsbericht nach eineinhalb Jahren freiem nichtkommerziellen Lokalradio in Schopfheim stellt sich für den Radiomitarbeiter Norbert Ahlers, der das Projekt "KANAL Ratte"mit aufgebaut hat, die überdurchschnittliche Beanspruchung der ehrenamtlichen Basis als großes Problem dar.

"In der Regel steht für fast alle Alltagsarbeiten - Archiv, Technik, Finanzverwaltung, Begleitung von Jugendredaktionen, Kommunikation und Öffentlichkeitsarbeit - jeweils nur eine Person zur Verfügung. Sobald eine Person ausfällt durch Beruf, Krankheit oder Urlaub, müssen die anderen den Bereich übernehmen, was faktisch unmöglich ist, da sie schon oft mit ihren Arbeiten überlastet sind." (Ahlers 1996, S.16)

Daran hat sich auch 1998 noch nichts geändert. Norbert Ahlers hat inzwischen das Radio verlassen und sein Nachfolger steht vor dem gleichen Problem. Die einzelnen Redaktionen sind mit der Arbeit in ihren Redaktionen beschäftigt und es besteht *"im Moment keine redaktionsübergreifende Zusammenarbeit." (Interv. Bollo KANAL Ratte, 1998)*

Für Jugendliche in Schopfheim bietet das Radioprojekt "KANAL Ratte"optimale geographische Bedingungen für eine aktive Medienarbeit. Die Lage ist sehr zentral, direkt neben dem Bahnhof und nebenan ist das soziokulturelle Zentrum "Irrlicht" mit Kneipe und Veranstaltungsraum angesiedelt.

6.3.1 Jugendradio "KANAL Ratte"

Das Gesamtradioprojekt Radio "KANAL Ratte"ist ein Jugendradio, weil die Mehrheit der Jugendlichen, die das Radio gestalten, unter 25 Jahre alt sind. Ein hohen Anteil der ausgestrahlten Radiosendungen machen jugendorientierte Musiksendungen aus. Die RadiomacherInnen im Radio sind auf die soziale Zusammensetzung bezogen sehr heterogen.

Der Bildungshintergrund der Aktiven reicht von HauptschülerInnen bis zu Jugendlichen, die das Gymnasium besuchen. Der hauptamtliche Mitarbeiter der "KANAL Ratte"geht davon aus, daß das Bildungsniveau im Freien Radio in Schopfheim etwas niedriger ist als bei "Radio Dreyeckland"in Freiburg, weil Freiburg eine Universitätsstadt ist und viele RadiomacherInnen studieren.

Daß der Zugang zum Sender nicht immer über den Freundeskreis oder ein Schulprojekt läuft, zeigt das Beispiel eines 16-jährigen Jugendlichen, der vor drei Jahren, nach dem Hören des Senders, einfach beim Freien Radio angerufen hat.

"Radio KANAL Ratte hat mal die Erlaubnis gekriegt, ein Tag Sendung zu machen. (...) Ich habe dann die Sendung angehört mir hat das gefallen und ich habe dann angerufen und der Norbert Ahlers, damals noch zuständig, hat mir angeboten ins Radio zu kommen (...) Ich habe beim Jugendmagazin Aku mitgemacht, dann habe ich eine Straßenmusiksendung gemacht und jetzt mache ich Rockmusik. Ich bin damals losgezogen, mit dem Cassettenrecorder, hab Straßenmusiker interviewt, hab Musik aufgenommen und mit Klaus dem Geiger und Christian Schulz ein Telefoninterview gemacht." (Interv. FR. KANAL Ratte, 1998)

Das Sender ist ein sozialer Ort und Treffpunkt der Jugendlichen. Hier können sie einfach mal vorbeikommen, auch wenn sie gerade keine Sendung produzieren.

"Man hat halt auch einen Anlaufpunkt, wo man hingehen kann, wo man einen kennt. Es ist irgend jemand da irgendwie." (Interv. FR. KANAL Ratte, 1998)

Mit der Identifikation mit dem Gesamtprojekt ist es ähnlich wie in den bereits anderen vorgestellten Radiosendern. Den jugendlichen RadiomacherInnen fällt es schwer, sich mit dem Gesamtprojekt zu identifizieren.

"Das Projekt - KANAL Ratte gibt es nicht. Es gibt kein geschlossenes Radio, sondern es gibt viele Einzelredaktionen, die auf der Frequenz eine Sendung machen." (Interv. FR. KANAL Ratte, 1998)

"Wir haben die Situation, daß keiner sich um den anderen kümmert und einfach seine Sendung macht und dann wieder geht." (Interv. FR. KANAL Ratte 98)

Weil es den Jugendlichen schwerfällt, sich mit dem Gesamtradio zu identifizieren, ist dementsprechend die Lust sich im Plenum für die Radiostation einzusetzen eher gering und auch in Schopfheim empfinden die Jugendlichen den basisdemokratischen Diskurs im Radioplenum als anstrengend.

"Ich kann mich mit dem Plenum nicht identifizieren. Ich war jetzt ein paar Male da. Ich hatte das Gefühl, daß da über alles in der Welt diskutiert werden muß. Und jeder seine Meinung reinbringen muß und dann kommt am Ende nichts zustande (...) Das Plenum ist nervenaufreibend manchmal." (Interv. FR KANAL Ratte 1998)

Das geringe Interesse für das Gesamtradio hat nicht nur mit der erwähnten Arbeitsüberlastung der RadiomacherInnen zu tun, sondern mit dem Fokus, der auf die Mikroebene der selbstproduzierten Sendungen gerichtet ist und nicht auf die Makroebene, das Gesamtradio "KANAL Ratte".

"Das Gesamtprojekt ist mir eigentlich nicht so wichtig. Mir geht's eigentlich darum, daß ich im Studio sitze und meine Sendungen fahren kann." (Interv. FR KANAL Ratte 1998)

Das Konzept Gegenöffentlichkeit im Sinne von politischer Berichterstattung hat im Freien Radio Schopfheim kaum Bedeutung. Lokalpolitik ist im Hörfunkprogramm so gut wie nicht vertreten und die örtliche Verwaltung und Politik scheint sich für das Radioprojekt auch nicht so richtig zu interessieren. Zwar gibt es sporadisch Kooperationen, wenn im Sommer das Ferienprogramm der Stadt Schopfheim Projekttage für Kinder und Jugendliche mit dem Radio durchführt. Es ist aber bezeichnend, daß in der aktuellen Informationsbroschüre der Stadt Schopfheim sämtliche Vereine, Verbände, Medien und Veranstaltungsorte etc. aufgelistet werden, das freie, nichtkommerzielle Lokalradio "KANAL Ratte" aber keine Erwähnung findet. (vgl. Informationen Stadt Schopfheim, 1998)

Die Chance nichtkommerzielles Lokalradio als Medium für lokale politische Auseinandersetzungen, als Diskussions- und Kommunikationsmedium zu nutzen, wird in Schopfheim nicht wahrgenommen. Die Jugendlichen, die ein Freies Radio für Gegenöffentlichkeit haben wollen, sind in Schopfheim eher in der Minderheit.

"Wir haben die Tendenz leider zu einem Unterhaltungsradio zu verkommen. Mir ist Kanalratte eher als Politikradio am Herzen gelegen. Ich will den Leuten Horizonte aufzeigen." (Interv. FR KANAL Ratte, 1998)

Obwohl politische Radiosendungen kaum eine Rolle in dem Sender spielen, hat das Freie Radio in Schopfheim, wie auch die anderen freien nichtkommerziellen Lokal-

radios in den anderen Städten, ein politisch linkes Image.[22] Wer Probleme mit einer politisch linksorientierten Denkrichtung hat, wird wohl kaum in einem freien Radio anzutreffen sein.

"Wenn man andere Leute so hört im Irrlicht, (soziokulturelles Zentrum neben dem Radio) da wird das Radio schon als linke Hochburg angesehen und ich finds auch ok so. Ich find links in Ordnung, und das ist auch dies was hier läuft." (vgl. Interv. KANAL Ratte, 1998)

Es gibt aber auch Jugendliche, die sich politisch nicht links definieren und trotzdem im Freien Radio arbeiten können.

"Ich bin irgendwo zwischen links und rechts"(Interv. FR KANAL Ratte, 1998)

Und es gilt festzuhalten, daß die aktive Medienarbeit im nichtkommerziellen Radio, sofern es nicht nur um Musik abspielen geht, sondern um Inhaltliches, was auch für Musiksendungen zutreffen kann, ein wichtiger Beitrag zur politischen Bildung ist, weil die Recherche-Arbeit eine intensive Auseinandersetzung mit dem Thema erfordert und neue Sichtweisen eröffnen kann.

"Zum anderen ist es auch so, daß man plötzlich durch die Welt geht und sich für alles interessiert." (Interv. KANAL Ratte, 1998)

"Bei mir stapeln sich die Post it-Zettel an der Wand, am Fernseher überall, wenn irgendwo was läuft. Man sucht sich mit dem Radioauge die Sachen raus." (Interv.: KANAL Ratte, 1998)

"Inzwischen lese ich auch viel intensiver Zeitung." (Interv. KANAL Ratte, 1998)

---

22 Das linke Image der Sender kommt daher, daß häufig Menschen mit politisch linker Gesinnung die Initiativen für Freie Radios gründen. Wenn dann in den Freien Radios politische Sendungen ausgestrahlt werden, dann haben sie mehrheitlich auch eine „linke"Sichtweise auf das bearbeitete politische Thema. Auch die Mehrheit der RadiomacherInnen würden sich dem politisch linken Spektrum zuordnen.
Es ist natürlich problematisch mit den Begriffen rechts und links zu arbeiten, ohne im konkreten Einzelfall zu benennen, was mit links gemeint ist. In diesem Rahmen bezieht sich die Begrifflichkeit auf die Selbstdefinition der RadiomacherInnen und in den Kapiteln über Arbeiterradios und neue sozialen Bewegung wurde deutlich, daß die ersten Freien Radios aus linken sozialen Bewegungen entstanden sind. (vgl. Kap.1 u.2)

Die jugendlichen RadiomacherInnen haben durch die Tätigkeit im Radio ein anderes Verhältnis zu Medienprodukten bekommen und nutzen andere Medien für die Gestaltung ihrer eigenen, selbstproduzierten Hörfunksendungen.

Aktive Medienarbeit im Freien Radio ist Aneignung von Welt und stärkt die Medienkompetenz. In Schopfheim, wie auch in den anderen Freien Radios, finden Bildungsprozesse statt. Das Freie Radio kann man als Ort der außerschulischen Bildung bezeichnen. Wer im Freien Radio aktiv mitmacht, nimmt an Bildungsprozessen teil. Die RadiomacherInnen lernen anders mit Sprache umzugehen, verbessern also die kommunikative Kompetenz, die eine wichtige Voraussetzung von Medienkompetenz ist. (vgl. Kap. 4.3)

"Als ich angefangen habe mit dem Radio war ich in dem Fach Deutsch Mittelmaß bis hin zum Schlechten. Und durchs Radiomachen, meine ich an Selbstsicherheit gewonnen zu haben, d.h. im rhetorischen Bereich, auch im Schriftlichen, danach ging's auch besser in Deutsch und so. Bin dann auch irgendwann zum Schreiben in der Zeitung gekommen." (Interv. FR KANAL Ratte, 1998)

Für diesen Jugendlichen bot die aktive Medienarbeit im Freien Radio einen Einstieg in den professionellen Journalismus. Die örtliche Tageszeitung schrieb ein Porträt über ihn als Radiomacher und als die Zeitung eine Rubrik über Musik einrichtete, fragte sie den Radiomacher, ob er nicht als freier Mitarbeiter über die Musikszene und CD-Neuerscheinungen schreiben möchte.

So hat die ehrenamtliche Radioarbeit einen Synergie-Effekt für die bezahlte journalistische Arbeit. Es ist beobachtbar, daß die lokalen nichtkommerziellen Radiostationen auch ein Übungsfeld für angehende JournalistInnen, RadiomoderatorInnen und professionelle Disk-Jockeys sind.

6.4 Freies Radio "Wüste Welle"in Tübingen/Reutlingen

Die "Wüste Welle" sendet seit 1994 in Tübingen/Reutlingen. Der Sender sendet mit 1 KW und kann 200 000 potentielle HörerInnen erreichen. Es gibt eine feste Stelle im Radio und zwei ABM-Kräfte. Zwei Medienpädagoginnen wurden für die Bereiche Frauen- und Jugendförderung angestellt. Außerdem gibt es Honorarkräfte im Radio.

Es sind ca. 120 aktive RadiomacherInnen im Radio und 510 Mitglieder sind im Förderverein, um mit ihren Beiträgen das Freie Radio zu ermöglichen. (vgl. BFR-Rundbrief 1997, S. 5 u. 6) Das Radio ist im alternativen Gewerbehof ("Sudhaus") mit Kneipe, Veranstaltungsraum, Verlag und Kleinbetrieben untergebracht.

Bei meinem Besuch interviewte ich drei Jungen, die in der Redaktion U17 organisiert sind und zwei Mädchen vom Mädchenradio. Da die Interviews mit den Jugendlichen nicht in der Gesamtgruppe geführt worden sind, stelle ich in diesem Unterkapitel die Jugendlichen als Personen mehr in den Vordergrund, um auch eine personenbezogene Perspektive auf die aktive Jugend-Medien-Arbeit in Freien Radios aufzuzeigen.

6.4.1 Redaktion U 17

Daniel, Jens und Joe

Im Tübinger/ Reutlinger Radio sind ca.. 20 Jugendliche in der Redaktion U17 (unter 17 Jahre) organisiert. Weitere 30 Jugendliche im Alter von 17 bis 21 Jahren gestalten Radioprogramme in anderen Redaktionen. Jeden Tag von 14.00 bis 17.00 Uhr sind die Jugendlichen auf Sendung. Eine Radiosendung gestalten die 15- und 16-jährigen Realschüler Daniel, Jens und Joe, die auf einem Straßenfest in ihrem Stadtteil, daß sie als "Ghetto"bezeichnen, von einem ehrenamtlich tätigen Radiomitarbeiter angesprochen wurden, der sich um die U 17 Redaktion kümmert.

Zuerst arbeiteten sie im Kinderradio des Senders mit. Sie produzierten eine Sendung über Clowns, bei der sie Interviews mit professionellen Clowns durchgeführt haben. Mit dem Kinderradio sind die drei Jugendlichen immer noch verbunden, so helfen sie manchmal der Kinderredaktion mit der Technik, wenn die Betreuerin keine Zeit hat.

Inzwischen produzieren die Jugendlichen selbständig eine wöchentliche Sendung mit den Schwerpunkten Hip-Hop, Black Music und Break Dance.[23] Die Jugendlichen

---

23 Hip-Hop ist in den siebziger Jahren in den US-amerikanischen Großstädten entstanden und gilt als Musikstil der afroamerikanischen Jugend. Der Musikstil gilt als Ausdruck der sozialen Situation und gleich-

haben oft Gäste aus dieser Musikszene im Studio. Sie schreiben ihre Moderationstexte eigenständig. Für die drei Jugendlichen, die vor drei Jahren mit Kinderradio begannen und jetzt in der Redaktion U 17 mitarbeiten, ist das Freie Radio ein Bestandteil ihrer Mediensozialisation. Ihre Medienbiographie ist verbunden mit einer aktiven Jugend-Medien-Arbeit in einem Freien Radio, das ihnen die Möglichkeit gibt, sozialräumlich aus ihrem Stadtteil herauszukommen, sich neue Erfahrungsräume (Radio und Studio) anzueignen und ihrer Jugendkultur (Hip-Hop-Szene) zum produktiven Ausdruck verhilft. Die intensive Beschäftigung mit Hip-Hop-Musik führte dazu, daß sie inzwischen auf Partys als Disk Jockeys engagiert werden, was auch für einen aus der Gruppe ein Berufswunsch ist.

Die Jugendlichen besuchen auch ab und zu das Plenum der "Wüsten Welle". Jan Gronefeld, der ehrenamtliche Betreuer der Redaktion U 17, möchte ein gutes Umfeld für die Jugendlichen schaffen. Großen Wert legt er auf das soziales Verhalten in der Gruppe. Er sieht die Chance für die Jugendlichen, daß sie sich als Gruppe erleben können. Er möchte, daß sich die Jugendlichen als soziale Gruppe und nicht vereinzelt im Radio sehen. Die Identifikation mit der Jugendredaktion und dem Gesamtradio sieht er eher als gering an, weil für die Jugendlichen erstmal die eigenen produzierten Sendungen Priorität haben.

"Die Identifikation mit der Wüsten Welle ist relativ klein, weil sie die Besonderheit des Radios noch nicht kennen. Das Radio war schon da. Es wurde nicht wie z.B. Radio Dreyeckland erkämpft. Außerdem ist das Gesamtradio zu groß für sie. Es arbeiten ca. 120 Leute im Radio. Die Jugendlichen gehen dann auf das Redaktionsplenum und sie erleben, ob es ihnen Spaß macht, ob ihnen die Diskussionen etwas bringen, ob sie etwas verstehen, ob sie verbalerweise rausgedrängt werden. Und über die ganzen Sachen unterhalten wir uns dann hinterher und die Kids müssen für sich selber entscheiden, ob sie etwas mit dem Gesamtradio zu tun haben wollen." (Interv. J. Gronefeld, Wüste Welle, 1998)

---

zeitig als Bestrebung nach fundamentaler Veränderung. (vgl. Sterneck 1995, S.242-259) Die Jugendlichen erzählten mir, daß sie Hip Hop hören würden, weil sie auch im „Getho"wohnen würden.

Daniela und Steffi vom Mädchenradio

Die beiden 14- und 15-jährigen Mädchen arbeiten im Mädchenradio der "Wüsten Welle."Über das Schulprojekt *"Zeitung macht Schule"*, das in ihrer Realschule stattgefunden hat, sind die beiden Teenager auf das nichtkommerzielle freie Lokalradio gestoßen. Sie haben ein Interview über die "Wüste Welle"mit Radiomitarbeiterinnen durchgeführt und dadurch erfahren, daß es ein Mädchenradioprojekt gibt. Nach dem Besuch eines Radio-Workshops, der die Voraussetzung für einen eigenen Sendeplatz ist, bekamen die Radiomacherinnen jeden Samstag eine Stunde Sendezeit im Wechsel mit einer anderen Radiogruppe. Nach eigenen Angaben liegt der Musikanteil bei ca.. 80 - 90 %. Die Wortbeiträge, die gesendet worden sind, waren über Straßenkinder, Valentinstag und Partys.

Durch die aktive Medienarbeit bekommen die Mädchen Anerkennung und Bestätigung ihrer Tätigkeit von ihren MitschülerInnen und von ihren Eltern.

"Die wollten es erst gar nicht glauben, (die Eltern) daß wir im Radio sind. Die findens halt cool." (Interv. Mädchenradio Wüste Welle, 1998)

Ihre Mitarbeit in der Radiostation "Wüste Welle"war für einige ihrer Mitschülerinnen der Anlaß, selbst auch aktiv im Mädchenradio der "Wüsten Welle"zu werden.

"Viele wollten es halt dann auch machen." (Interv. Mädchenradio Wüste Welle, 1998)

Im freien, nichtkommerziellen Lokalradio können Jugendliche durch andere Jugendliche ihres Alters, der Peer Group, angeregt werden, selber Radio zu machen. Aus HörerInnen werden SenderInnen.

7. Fazit

Diese Arbeit zeigt auf, daß freie nichtkommerzielle Radios die Möglichkeit bieten am Rundfunk zu partizipieren. Dabei besteht die Möglichkeit das Radio im Sinne der brechtschen Radiotheorie als Kommunikationsapparat zu nutzen. In diesen Radiostationen kann autonom, selbstbestimmt und ohne Zensur gesendet werden. Die RezipientInnen können zu Sendenden werden und wer Lust hat, kann im Studio anrufen und seine Kritik oder Anregung wird unmittelbar ausgestrahlt werden. Die Radioutopie von Bertolt Brecht ist am Ausgang dieses Jahrhunderts keine Utopie mehr, sondern die Freien Radios haben sie zum großen Teil verwirklicht.

In dieser Arbeit wurde deutlich, daß die neuen sozialen Bewegungen großen Einfluß auf die Entstehungsgeschichte der Freien Radios hatten. Ohne die neuen sozialen Bewegungen hätte es keine Freie-Radio-Praxis in der Bundesrepublik Deutschland geben und später auch keine legalen Freien Radios.

Das emanzipatorische Politikverständnis der neuen sozialen Bewegungen, Gleichheit, Partizipationsmöglichkeit und Authentizität, werden ansatzweise in den Freien Radios realisiert. Sie finden sich formal wieder in den Redaktionsstatuten und den selbstdefinierten Zielen (z.B. Charta des Bundesverbands freier Radios) der Freien Radios. Jedoch bedeutet der normative Anspruch, Partizipation an medialer Öffentlichkeit durch aktive Medienarbeit, nicht automatisch seine Verwirklichung.

Partizipation

Es ist beobachtbar, daß sich eine spezifische soziale Schicht in den Sendern wiederfindet. Der Anteil der Frauen im Radio ist wesentlich geringer als der Anteil von Männern. Die Sprach-, Zeitsouveränität und das Bildungsniveau sind entscheidende Faktoren für die aktive Nutzung des Radios. Allerdings sind sich einzelne Sender dieser Problematik durchaus bewußt und unternehmen gezielt Anstrengungen, andere Jugendliche in das Radio zu bringen, indem sie, wie z.B. in Tübingen zu Stadtteilfesten in den sozialen Brennpunktvierteln gehen, um für das Radio zu werben. Ein weiteres Beispiel ist Radio Dreyeckland, das Kontakt zu Einrichtungen der Jugendhilfe (Jugendwerk) sucht, um unterprivilegierten Jugendlichen die Möglichkeit zu geben, die aktive Medien-Arbeit für sich zu nutzen. Dies ist eine absolute Notwendigkeit, wenn die Freien Radiostationen es ernst meinen mit dem Konzept eines "Radios von unten". Ansonsten entwickeln sich diese Radiostationen zu Sendern, in denen die besonders Privilegierten mit hohen Bildungsabschlüssen, deutscher Herkunft, meist männlich, ihr kulturelles Kapital erweitern können und mit der Aneignung der Medienkompetenz, die in der Informationsgesellschaft immer wichtiger wird, eine weitere Kompetenz dazugewinnen, die sie noch mehr privilegiert.

Gleichheit

Auch bei diesem Punkt ist feststellbar, daß die formalen Bedingungen der Gleichheit in den Radios geschaffen wurden. Alle RadiomacherInnen können die Plena der Radios besuchen und haben Mitspracherecht. Die Jugendlichen werden keinesfalls benachteiligt oder bevormundet. Sie werden als gleichberechtigte RadiomacherInnen angesehen, mit denselben Rechten und Pflichten, wie z.b. im Freien Radio für Stuttgart, wo es für die Jugendredaktion Pflicht ist, am Radioplenum teilzunehmen. Da aber wie bei der Partizipationsmöglichkeit die formalen Bedingungen nicht ausreichen, um dem Idealkonstrukt von Gleichheit nahe zu kommen, bedarf es Anstrengungen, Ungleichheiten abzubauen und einen Diskurs in den Radios zu fokussieren, z.b. über die Männerdominanz in den Sendern und über sexistischen Sprachgebrauch bei Sendungen. Die freien nichtkommerziellen Lokalradios sind Teil einer patriarchal geprägten Gesellschaft und es wäre eine Illusion zu glauben, in diesen Projekten wäre es anders.

Authentizität

Die Möglichkeit, authentisch zu sein, bieten die Freien Radios. Gerade im empirischen Teil der Arbeit wurde deutlich, daß in diesen Sendern Jugendliche sich selbstverwirklichen können und authentisch über ihre Musik- und kulturellen Präferenzen berichten können. Das Freie Radio ist ein Ort der Jugendkultur und es ist möglich auch mit einem Sprachfehler und mit Dialekt Sendungen zu moderieren. Die einzige Voraussetzung ist der Mut zur Artikulation.

Örtlichkeit

Aus dieser Arbeit geht hervor, daß die Jugendlichen in den Freien Radios ihre lebensweltlichen Erfahrungen verarbeiten können und neue dazugewinnen. Das Freie Radio ist ein sozialer Ort. Bei den Interviews wurde aber deutlich, daß sehr viele Jugendliche wenig Interesse am Gesamtprojekt Freies Radio haben. In den Sendern müßte verstärkt redaktionsübergreifend eine Diskussion über Sinn und Zweck Freier Radios geführt werden, um nicht zu Offenen Kanälen zu werden, wo die einzelnen Gruppen nebeneinander produzieren und nicht miteinander als Gesamtprojekt arbeiten. Diese Arbeit zeigte ansatzweise die Möglichkeiten auf (gemeinsame Feste, Aktivitäten, Plena als Pflichtveranstaltung), die einzelnen Radiogruppen stärker ins Gesamtprojekt einzubinden und somit eine Beziehung zum Radioprojekt als Ganzem herzustellen. Jugendliche haben die Möglichkeit sich das Freie Radio sozialräumlich anzueignen. Wenn die Jugendradiogruppe das Hörfunkstudio hat, ist es ihr Raum. Sie können Gäste und ihren Freundeskreis einladen, sie bestimmen welche Musik gespielt wird und wie ihre Hörfunksendungen produziert werden.

Mit der aktiven Medienarbeit im Freien Radio wird die Kommunikationsumwelt erweitert, sei es bei Besuchen von InterviewpartnerInnen oder bei der Organisation von Radiofesten. Dabei besteht die Möglichkeit, die Örtlichkeiten zu wechseln und mit verschiedenen Menschen zu kommunizieren. Auch hier bietet das Freie Radio die Möglichkeit für benachteiligte Jugendliche, das soziokulturelle Milieu, z.B. den Wohnort im "sozialen Brennpunkt", zu verlassen und andere Menschen kennenzulernen und vielfältige Erfahrungen zu machen.

Medien-Kompetenz
In freien, nichtkommerziellen Lokalradios erwerben die Jugendlichen Medienkompetenz. Durch die Herstellung von Hörfunksendungen lernen die Jugendlichen die Produktion von Medien und erwerben Medien-Kunde im Bezug auf den Hörfunk. Die Jugendlichen lernen die Produktionsmittel kennen und bedienen (Aufnahmegerät, Mischpult, Tonstudio, etc.) und sind an der ästhetischen Gestaltung von Hörfunksendungen beteiligt. Auch die Medien-Kritik wird durch das Selbstproduzieren geschärft und führt zur Beobachtung und kritischen Betrachtungsweise anderer Medienprodukte. Die Interviews zeigten auf, daß für die Mehrheit der RadiomacherInnen in den Jugendradiogruppen das Radio ein Kulturmedium ist, daß ihnen die Möglichkeit bietet, sich selbstzuverwirklichen und die Musik ihrer Jugendkultur zu spielen. Die Jugendlichen, die das Radio im Sinne des Konzepts der Gegenöffentlichkeit nutzen wollen, um politische Aufklärung zu betreiben, sind in der Minderheit. Auch das Konzept eines souveränen Mediums hat keine Relevanz für die Ra-

dio-Praxis der Jugendradiogruppen, weil die Jugendlichen RezipientInnen erreichen wollen.

Das Interviewmaterial zeigt deutlich, daß durch die Mitarbeit in einem Freien Radio die Kommunikationskompetenz erheblich gestärkt wird. Der empirische Teil, in dem die Jugendlichen selbst zu Wort kamen, hob hervor, wie durch die Mitarbeit im Freien Radio das Selbstbewußtsein der Jugendlichen gestärkt wurde und bei Einzelnen sogar zur Verbesserung der schulischen Leistungen geführt hat.

Es ist also feststellbar, daß die Freien Radios ein unverzichtbarer Bestandteil der aktiven Jugend-Medien-Arbeit in der Bundesrepublik Deutschland sind. Wenn Medienkompetenz nicht nur ein Schlagwort sein soll, dann müssen Orte zum Erwerb von Medienkompetenz geschaffen werden, und wenn sie schon vorhanden sind, wie die lokalen nichtkommerziellen Freien Radios, ausreichend finanziell abgesichert werden.

Für die Medienpädagogik wünsche ich mir ein größeres Interesse an diesen Projekten und ich denke, die Arbeit hat genügend Anregungen dazu gegeben.

8. Internetradio und Freies Radio
   Meinungen und Ansichten

Interview: Karlheinz Grieger (Bildungsarbeiter, Autor, Radio Dreyeckland-Veteran)
Andreas Klug (Medienpädagoge)

H. H.: Welchen Gebrauchswert hat das Internet für die Arbeit im Freien Radio?

A. K.: Im Moment wird das Internet in erster Linie als Recherchequelle genutzt und löst meiner Ansicht nach das Comlink Mailbox Netz ab. Wir haben in der Vergangenheit über selbstorganisierte, letztendlich auch internet- oder zumindest computernetzgestützte Netzwerke in Eigenregie kommuniziert und Informationen verbreitet. Dadurch daß Surfen im World Wide Web bei den RadiomitarbeiterInnen immer populärer wird, greift der oder die Einzelne, wenn sie etwas recherchiert eher auf eine www-Seite zu als auf diese Comlink und selbstorganisierten Mailboxen. Das kann man natürlich mit einem lachenden und einem weinenden Auge sehen. Ich denke, mit einem weinenden Auge, weil diese selbstorganisierten Medien seltener genutzt werden, was ich sehr sehr schade finde, mit einem lachenden Auge, weil das Internet nun viel breiter genutzt wird als noch vor ein paar Jahren. Also mein Eindruck ist schon, daß die computergestützte Informationsbeschaffung zunehmend stärker bei den Freien Radios genutzt wird.

K. G.: Ich denke, das Internet kann auch als zusätzlicher Programmträger eine Rolle spielen - also daß auch im Internet Freie Hörfunksendungen ausgestrahlt werden. Dann kann das Internet als eine ideale Plattform für den Programmaustausch zwischen den Freien Radios genutzt werden. Zudem könnten auch noch mehr Leute Freie Radios empfangen, wenn Sendungen weltweit von websites abgerufen werden können. Da die alte Utopie von Bertolt Brecht ja die partizipative Mediennutzung ist, kann ich mir vorstellen, daß durch das Internetradio noch mehr Menschen vom Empfänger zum Sender werden – Zweiwegkommunikation noch einfacher verwirklicht werden kann. Vielleicht werden diese neuen Kommunikationspotentiale für die einzelnen Freien Radios eine harte Prüfung: Denn "offener Zugang für alle zum Radiomachen"stellt sich mit den Internetmöglichkeiten in aller Radikalität. Daß z.b. jemand, der einen Beitrag ins Internetradio geben möchte, dies auch auf dieser Internetplattform unbehindert tun kann. Daß sich so ein reger Austausch von Sendern und Empfänger ergibt – das ist technisch auf alle Fälle einfach realisierbar. Die Frage ist aber, inwieweit die eigenen Haltungen und Positionen in der Freien Radioszene mit dem "technischen Fortschritt"mithalten. Inwieweit dieser brechtsche Zweiweg-Kommunikationsapparat, so wie er möglich wird, auch gewollt wird .

H. H.: Bei vielen Lesungen, die ich gemacht habe in Bundesländern, in denen es keine Freien Radios gibt, kam immer wieder das Argument: Warum sollen wir uns denn für ein Freies Radio engagieren? Die medienpolitische Landschaft sieht für Freies Radio schlecht aus (z.b. Nordrhein -Westfalen mit BürgerInnenfunk und Campusradio oder Berlin mit dem trögen Offenen Kanal[24]), das wäre doch vergeudete Zeit, sich für ein Freies Radio zu engagieren, man solle doch vielmehr Internetradio machen. Was würdest du dem Argument entgegensetzen?
Oder haben sie recht ? Ist das Argument vielleicht stimmig?

K. G.: Ich würde sagen, das eine schließt das andere nicht aus. Schließlich ist die Existenz von nicht-kommerziellen Freien Radios keine alleinige Frage der Technik. Freies Radio machen ist eine Haltung, eine Absicht, um Medien einzusetzen, sie für ganz bestimmte Zwecke zu nutzen: Sei es für gesellschaftliche Kommunikation, kulturelles oder politisches Handeln. Eine zentrale Zukunftsfrage für mich ist: Kann Freies Radio gemacht werden, wenn es keinen realen sozialen Ort mehr gibt, an dem man sich persönlich begegnet, sich "face to face"austauscht, sei es politisch, sozial oder kulturell, sich in kollektiven Zusammenhängen streitet, kritisiert, Kontroversen

---

24 In Berlin ist die Situation für nichtkommerziellen Rundfunk besonders unbefriedigend. Ein legales Freies Radio zu betreiben ist aufgrund der medienpolitischen Gesetzgebung nicht möglich. Und der Offene Kanal kann nur über Kabel empfangen werden.

führt und auch beschließt, miteinander etwas zu tun, gesellschaftlich zu intervenieren? Wäre diese Struktur ausschließlich virtuell organisierbar und lebbar? Oder braucht es nicht die Verortung als Fokus in der Redaktion, im kulturellen Zentrum, im Projektplenum, in der Radiowerkstatt, von wo aus dann neue Impulse, auch virtuelle Vernetzungen initiert werden können?

H. H.: Da möchte ich anknüpfen, weil dies auch eine der Hauptthesen des Buches ist. Freie Radios als sozialer Ort, bei dem sich sehr unterschiedliche Menschen treffen können und in dem Sinne dann auch ganz andere Prozesse in Gang gesetzt werden können, wenn man das Freie Radio auch als Ort begreift. Aber wenn die Pluralisierung und die durchaus gewünschte Heterogenität zunimmt und das Gesamtprojekt verschwindet, wenn z.B. die einzelnen Redaktionsgruppen nur noch ihre einzelnen Sendungen im Sinn haben und kein großes Interesse mehr am Gesamtprojekt haben und dieses auch vernachlässigen, dann kann man ja auch gleich Internetradio machen- oder ?

A. K.: Ich antworte dir nicht korrekt auf deine Frage. Mir liegt noch ein anderer Aspekt auf dem Herzen. Wenn Freies Radio einerseits sozialer Ort nach Innen ist, andererseits sich eng im Kontext, man traut es sich ja fast nicht mehr zu sagen, im Kontext einer sozialen Bewegung befindet. Wenn ich mich, so zynisch das klingen mag, daran erinnere, wie der Golfkrieg tobte und wie Leute in Freiburg, wo es Radio Dreyeckland gibt, auf die Straße gingen, da war einfach eine enge Beziehung zwischen dem, was im Radio, und dem, was auf der Straße stattfand. Ich glaube, daran wird deutlich, daß Freies Radio nicht nur ein Medium für ein paar Menschen sein kann. Heute, das müssen wir zur Kenntnis nehmen, hat Internetradio keine große Verbreitung. Das mag sich ändern in der Zukunft. Aber im Moment wäre von einem Internetradio nicht das zu erwarten, was von einem Freien Radio, wenn es denn gut funktioniert, durchaus erwartet werden kann. Ein Problem hätte ich dann in dem Moment, wo Internetradio tatsächlich so gehört würde und vielleicht auch wegen solcher Inhalte, wie ich sie angesprochen habe, also kritisch gegenüber den hegemonialen Medien und Inhalten, und dann noch massenhaft gehört würde via Internet, da hätte ich ein großes Problem vor dem Hintergrund des gläsernen Bürgers. Auch wieder so ein unmodern gewordener Sachverhalt, aber jeder Internetnutzer ist absolut nachvollziehbar. Ich kann Pro Sieben im Fernsehen glotzen oder aber eine anspruchsvolle Dokumentation in Arte anschauen. Beim analogen Fernsehen kann mich keiner ausschnüffeln. Bei den digitalen Medien Fernsehen und Internetradio ist dies technisch möglich. Auf politischer Ebene, wenn ein Freies Internetradio wirksam ist, hätte ich ein Problem.

H. H.: Du hast die neuen sozialen Bewegungen angesprochen. Wenn man sich die Proteste gegen die IWF- und Weltbanktagung in Washington oder in Prag ansieht, stellt man fest, daß diese Proteste begleitet wurden durch eine alternative Berichterstattung im Internet, durch www.indymedia.org. Auf dieser Website konnte mensch dann Beiträge im "real audio Format"herunterladen. Da wurde konkret Gegenöffentlichkeit hergestellt, wie die politischen Redaktionen in den Freien Radios es tun. Deshalb würde ich es sehr sinnvoll finden, wenn die Freien Radios sich als Gesamtradio und nicht nur als einzelne Redaktionen politisch einmischen würden, weil meine Erfahrung im politischen Bereich ist, daß oft politische Informationen übers Internet schneller verbreitet werden als in Freien Radios. Da knüpft sich dann die Frage an, inwieweit politisch aktive Menschen sich eher am Medium Internet orientieren als an einem Freien Radio?

K. G.: Na gut, ich meine, das streift eine grundsätzliche Frage. Wird durchs Internet, durch die ganze Digitalisierung die Zeitung überflüssig? Gibt es demnächst kein Fernsehen mehr? Werden die "alten Medien"multimedial und interaktiv ins Internet integriert und lösen sich in der bisherigen Form auf ? Ich habe eher die Einschätzung, daß es die Parallelität, das Nebeneinander unterschiedlichster Medien noch längere Zeit geben wird. Natürlich mit zunehmender Bedeutung des Internets. Was ich in der ganzen Entwicklung sehr spannend finde ist, daß man vieles gar nicht so vorausdenken und voraussagen kann. Oft setzt sich eine Internetnutzung durch, die in der Art gar nicht erwartet oder gar von z.b. kommerziellen Interessen erwünscht war. Und auch beim Radio wird sich vieles miteinander neu verschränken und es werden sich neue Nutzungsformen ergeben. Freie Radios und Internetaktivitäten werden sich aufeinander beziehen und natürlich gegenseitig fruchtbar beeinflussen. Jedenfalls sehe ich den Prozeß der völligen Auflösung des einen Mediums zugunsten des anderen noch nicht.

H. H.: Was sich vielleicht verändert, ist der lokale Bezug. Die Freien Radios haben vom Anspruch her die Funktion, lokale Kommunikation zu stärken. Aber durch das World Wide Web wird der Bereich des Lokalen verlassen. Internetradios agieren global.

K. H.: Da stellt sich dann die Frage, inwieweit lokal senden und global denken sich auch in den Radiozusammenhängen immer wieder neu realisieren läßt..
Und die Freien Radios haben ja mit internationalen Vernetzungsprojekten "von unten", wie AMARC, dem nichtkommerziellen Radioweltverband, oder Austauschprojekten wie z.B. InterKonneXionnes mit Hilfe des Internets erst recht ausbaubare Handlungsfelder einer globalen Zusammenarbeit. Auch in diesem Diskussionszusammenhang scheint es mir wichtig, Freie Radios in kollektiven realen Strukturen zu haben. Denn wenn sich der "Sender"(der ja dann auch Empfänger ist und umgekehrt) völlig individualisiert und jeder daheim von seinem Rechner aus als Einzelner agiert und nur noch einer "virtuellen Gruppe"angehört, ist die Frage des gemeinsam organisierten gesellschaftlichen Handelns sicherlich viel schwieriger zu stellen. Ich bin da vielleicht ein wenig konservativ, aber ich hoffe, daß es zusätzlich zu der virtuellen Community immer noch eine Reale gibt. Aber na ja - wer weiß.

A. K.: Um einem Mißverständnis vorzubeugen: Das Freie-Radio-Netz wird kein Deutschlandfunk des Bundesverbandes Freier Radios. Also kein nationaler Sender, sondern es wird vor Ort aktive Radios geben, die für ihr Programm verantwortlich sind und wo reale Menschen ein Programm persönlich in Marburg oder Tübingen verantworten. Diese Leute müssen in Zukunft nicht mehr per Telefon aus anderen Städten ihre Beiträge mit den bekannten schlechten Klangqualitäten herbeitelefonieren, sie müssen sich nicht irgendwelche Informationen zusammenschreiben, sondern sie können von Kolleginnen und Kollegen aus einer anderen Stadt Informationen via Internet holen und diese in ihren Kontext integrieren. Das Sendungsgeschehen und die Verantwortlichkeit bleiben vor Ort.

K. G.: Die Frage ist auch, inwieweit die Selbstverwaltung als ein zentraler Bestandteil des Freien Radiokonzepts jetzt schon bestehender nichtkommerzieller Freien Radios in Zukunft gedacht funktioniert und weiter gewollt ist? Inwieweit die Plenen und Arbeitsstrukturen funktionieren, in denen Leute sich treffen und Interesse haben, über ihr eigenes Projekt mitzubestimmen oder Sendungen gemeinsam zu gestalten, sich auseinanderzusetzen, wie man besseres Radio macht. Dies ist ja unabhängig von der Technik eine bis heute noch nicht verwirklichte Utopie, bzw. eine immer wieder neue Umsetzungsherausforderung für jede Freie Radiopraxis. Realität in vielen Projekten ist, daß relativ wenige an diesen Gemeinschaftsaktivitäten teilnehmen und immer ein größerer Teil individuell seine Sendungsinteressen oder seine Vorstellungen umsetzt und den Freiraum, den Freie Radios auch bieten, wahrnimmt. Aber es ist immer ein anstrengendes Ringen um Gesamtprojekt-Kommunikation, um das Bewußtsein für Gesamtverantwortung im Freien Radio. Dazu braucht es die Bereitschaft zum offenen Diskurs, aus dem wiederum dann gemeinsames Handeln resultieren kann.

A.K.: Vielleicht noch eine Überlegung. Das Lokale nur wegen des Lokalen hochzuhalten, dafür möchte ich nicht plädieren. Das Lokale kann ja auch schnell was Chauvinistisches oder Engstirniges werden.

Interview: Andreas Linder, Koordinator für Öffentlichkeitsarbeit und Aus- und Fortbildung beim Freien Radio Wüste Welle in Tübingen/Reutlingen und aktiv in einer Info/Politik-Redaktion

H. H.: Was glaubst du, welche Auswirkungen die Internetradios auf die Freien Radios haben werden?

A.L.: Also, ich glaube erstmal wenig. Solange die Nutzung des Internets mit Kosten und einem gewissen technischen Knowhow verbunden sein wird, wird auch Internetradio eher was für Spezialisten und für Computerfreaks sein. Höchstens ein Zusatzmedienangebot für die übliche gebildete überwiegend männliche Mittelschicht. Die Radioangebote im Internet werden jedenfalls das herkömmliche Radio bis auf weiteres nicht ersetzen können. Das gilt auch für die Freien Radios und andere nichtkommerzielle Sender, die zielgruppenorientiert sind und ein eher randständiges Dasein in der Medienlandschaft führen. Aber man muß beim Internetradio ja auch unterscheiden: Es gibt erstens "Radio on Demand"die Möglichkeit des Nachhörens und Runterladens von Radiobeiträgen, die schon gesendet wurden. Auf diese Weise nutzen auch viele freie Radios bereits die Möglichkeiten des Internet. Es gibt zweitens das Live-Streaming als zusätzliche Einspeisung eines Radioprogramms ins Netz. Das wird von den größeren Freien Radios bereits gemacht. Und drittens gibt es Internetradios, also Programme, die nur im Internet zu hören sind. Die sehe ich nicht in Konkurrenz zur Existenz von Freien Radios.

H. H.: Eine These meines Buches war ja, daß Freies Radio ein sozialer Ort der Jugend-Medien-Arbeit ist. Also ein Ort, an dem unterschiedliche Leute zusammenkommen, wo diskutiert wird etc. Glaubst du, daß sich der soziale Ort verändert, wenn z.B. von zu Hause im Homestudio, - die Software wird ja wahrscheinlich in den nächsten Jahren billiger werden - die Beiträge produziert werden können? Dann braucht mensch gar nicht mehr ins Radiostudio zum Sender zu gehen.

A. L.: Also, in den Freien Radios wird auch nicht immer so viel diskutiert. Es kommt aber schon darauf an, unter welchen sozialen Bedingungen was wie diskutiert und praktiziert werden kann. Die Freien Radios bieten hier zumindest von ihrem Selbstverständnis her einen progressiven Rahmen:

Zugangsoffenheit, basisdemokratische Strukturen, redaktionelle Freiheiten usw. Diese Möglichkeiten werden z.b. auch von Jugendlichen angenommen und genutzt. Prinzipiell könnte das bei einem Internetradioprojekt ähnlich laufen.

Ich bin da aber eher skeptisch, weil ich glaube, daß das Internet ein wesentlich anonymerer Ort der Medienproduktion ist. Das kannst du tatsächlich ganz allein von zu Hause aus machen, wenn du die richtige Hard- und Software hast.

Du brauchst keinen Radiosender und kein Redaktionsplenum. Das Internet führt meiner Ansicht nach zu Produktionsbedingungen, bei denen kollektive Erfahrungen bei redaktioneller Arbeit und der Organisation eines Medienprojekts zunehmend wegfallen und die Medienarbeit noch mehr individualisiert sein wird.

Auch der Medien- bzw. Radiokonsum über das Internet ist ein anderer als über die herkömmlichen Radiogeräte.

H. H.: Aber eigentlich ist es ja egal, ob ich jetzt am Computer Radio höre oder vor dem Radiogerät Radio höre ?

A. L.: Das ist es zumindest noch nicht. Ich muß zunächst einmal einen Computer mit Internetzugang haben. Wir sind auch hier in Europa noch weit davon entfernt, daß wirklich viele Menschen auch aus unterschiedlichen gesellschaftlichen Schichten das Internet nutzen können. Erst recht weltweit gesehen ist die Nutzung des Internets ein Privileg für bestimmte Bevölkerungsgruppen in den jeweiligen Metropolen. Das Radio ist als Empfangsgerät weltweit verbreitet, der PC ist es eben noch lange nicht.

Vielleicht wird der Computer als Multimediagerät irgendwann die herkömmlichen Abspielgeräte ersetzen, die technische Entwicklung geht ja in diese Richtung. Man kann gespannt sein, wie lange es dauern wird, bis das nicht nur für unsereins sage ich mal der Fall sein wird. Wer die Wahl zwischen PC und Radiogerät hat, muß sich am Computer immer noch erstmal ins Internet einwählen, die entsprechende Hard- und Software zum Radiohören haben usw. Das erfordert Wissen, und es dauert länger als das Radiogerät einzuschalten und einen Sender zu wählen. Ich persönlich finde diesen Vorgang immer noch zu umständlich und zu aufwendig. Die Weiterentwicklung von Hard- und Software wird hier natürlich bald Verbesserungen bringen. Was ich am Internet selbstverständlich interessant finde ist die Möglichkeit, Sender zu hören, die mit einem herkömmlichen Radiogerät nicht empfangen werden können.

H. H.: Zum Beispiel das Wiener Freie "Radio Orange"?

A.L.: Ja, oder irgend ein interessantes Radio in San Francisco oder ein Sender aus Südafrika. Die Auswahl an empfangbaren Programmen wird durch das Internet größer. Wenn das zu einer inhaltlichen Bereicherung führt, kann es nur recht sein. Ich zweifle aber daran, ob im gesamten Medienangebot nicht schon längst gewisse Belastungsgrenzen überschritten sind. Der Tag hat schließlich auch mit 100 Fernsehprogrammen oder mit 1000 Internetradiosendern nur 24 Stunden und die Leute werden im Schnitt nicht viel mehr Zeit als bisher für ihren Medienkonsum aufbringen können. Ich denke auch, daß speziell das Internet in seiner Bedeutung als Kommunikationsmedium überbewertet wird. Es wurde in den letzten Jahren ein Hype ums Internet gemacht und zwar nicht, weil es neue Formen der Kommunikation ermöglicht, sondern weil man damit viel Geld machen kann, weil dieses Medium für kommerzielle Interessen ausgenutzt werden kann.

Aber gerade auch viele Linke haben ins Internet viel zu viel Kommunikation und Dissidenz und was auch immer rein projiziert. Das Internet kann als Kommunikationsmedium genutzt werden, aber es wird mehr und mehr zum Konsummedium. Und für die Linken sollte auch klar sein, daß weder ein gutes Radioprogramm noch die Revolution vom Schreibtisch aus gemacht werden können. Deswegen hat das Internet für mich ganz eindeutige Grenzen. Die Leute werden irgendwann vielleicht auch zu alten Formen der Kommunikation zurückkehren oder bei ihnen bleiben, wie z.b. Radio oder das ganz gewöhnliches Telefonieren oder die "Face to Face"-Kommunikation, weil das Internet viel mehr verspricht, als es halten kann.

H. H.: Aber für dich ist das Internet schon ein Kommunikationsmedium? Durch die Chatrooms oder die Emailnutzung findet ja schon Kommunikation statt.

A.L.: Ja natürlich, es findet Kommunikation statt, aber sie ist reduzierter als z.B. schon beim Telefonieren. Beim Telefonieren kann ich noch mit jemandem sprechen. Ich höre, was die Person sagt und in der Sprache sind auch Zwischentöne drin. Im Internet tauscht man sich mit Text aus. Es wird sicher auch die Zeit kommen, wo dann Bildchen zu sehen und Sprache zu hören sein wird, aber im Moment ist das noch nicht der Standard. Deswegen würde ich das Internet nicht überbewerten. Also ich telefoniere manchmal lieber mit jemandem, wenn ich mich mit jemanden über irgendetwas verständigen möchte, als das ich dann einen Chatroom benutze oder eine Mailingliste aufbaue und dann glaube, daß auf einmal etwas Besonderes herauskommt. Ich finde wie schon erwähnt, das Internet wird überbewertet.

Interview: Beate Flechtker (Mitarbeiterin bei Radio Unerhört Marburg)

H. H.: Nutzt ihr bei Radio Unerhört das Internet ?

B. F.: Ja. Seitdem ein Zugang für alle NutzerInnen bei Radio Unerhört eingerichtet ist, das war im Frühjahr 2001, wird mit dem Internet sehr viel gearbeitet. Vor allem die Dienste e-mail zur Kommunkation, ftp für den Programmaustausch und die www-Seiten für Recherche und Programmaustausch.

Außerdem nutzen wir das Internet zur Präsentation von RUM, wobei es sich gezeigt hat, daß wir sehr viele BesucherInnen auf unserer Seite haben.

H. H.: Was glaubst du, inwieweit das Internetradio die Freien Radios verändert ?

B. F.: Also, auf so einer Organisationsebene vereinfacht das Internet die Organisation oder um es anders auszudrücken, das Management von Freien Radios, weil es einfach ein direkter Zugriff zum Beispiel auf Stiftungsanträge. Wenn ich wissen möchte, was da die Grundsätze sind - da muß ich nicht erst hin- und herschreiben, auf Faxe warten. Die ganzen Programmkoordinationsgeschichten, die z.B. über AMARC [25]Kampagnen laufen. Da wird sehr viel das Internet genutzt. Übers Internet laufen dann auch noch Programmangebote. Also, wenn wir dann auf die Ebene der Programmmacherinnen und Programmacher gehen, kann man feststellen, daß das Internet eine große Erleichterung für die Recherche ist. Nur muß man, glaube ich, auch wirklich lernen, gezielt im Internet suchen zu können. Also journalistische Recherche im Internet zu machen. Dies muß einfach gelernt sein. Entweder wie Vieles im Freien Radio durch "Learning by doing"oder einfach durch Erfahrungsaustausch wie so üblich unter den Freien Radiomacherinnen und - macher. Sich gegenseitig irgendwelche Seiten sagen.

---

25 AMARC ist der Weltverband der Freien Radios

H. H. : Eine meiner Hauptthesen in dem Buch ist, daß Freie Radios ein sozialer Ort der aktiven Jugend-Medien-Arbeit sind. Ich habe damals das Freie Radio in Marburg leider nicht besucht, deshalb die Frage: Gibt es in im Freien Radio in Marburg Veranstaltungen etc, organisiert vom gesamten Radioprojekt, wo verschiedene Gruppen oder Redaktionen etwas gemeinsam machen ?

B. F.: Ja, das gibt es, z.b. unser Sommerfest, wo wir schon auch mit Absicht die verschiedensten Gruppen, die in Marburg sozial, politisch, kulturell engagiert sind eingeladen haben.

H. H: Außerhalb des Radios ?

B. F.: Das Fest fand außerhalb unserer Radiogebäudes statt. auf unserem Freigelände. Da gab es so eine Art Kiosk mit den verschiedenen Angeboten der unterschiedlichen Gruppen und Initiativen, was ich einen sehr wichtigen Bestandteil finde als gegenseitigen Kommunikationsort oder sei es auch nur der Präsenz, hier und da mal ein Bierchen oder ein Kaffee so lange es noch Nachmittag ist irgendetwas auszutauschen. Oder was weiß ich, einfach nur so zu plaudern oder den Kicker, der auch aufgestellt ist zu nutzen. Ein anderes Beispiel sind unsere zahlreichen Kooperationsveranstaltungen, die wir mit verschiedenen Initiativen gemeinsam machen. Das ist ein sehr wichtiger Bereich. Überhaupt Kooperationsgeschichten, weil darüber können über den radiointernen Kreis hinaus auch Diskussionen, Auseinandersetzungen und Projekte entstehen, die sich dann weiter entwickeln.

H. H.: In meinem Buch habe ich auch aufgezeigt, daß es die Möglichkeit gibt, wenn Jugendliche ins Radio kommen, daß sie dann andere Menschen kennen lernen und sich dann auch verändern. So wird das Radio auch zum sozialen Lernort, den sich die Jugendlichen aneignen. Glaubst du, wenn sich Internetradio durchsetzt, daß der soziale Ort verschwindet ?

B.F. Erstmal zu der These "Radio als sozialer Raum". Natürlich stimmt das nicht in so einer ideeller Form, daß man da hinkommt und plaudert und sich mit jedem versteht und tralala, natürlich bilden sich Gruppen, Cliquen, Antipathien, Sympathien und je nachdem wird da zusammen gearbeitet. Aber es gibt auch schon Fälle von so einem Zusammentreffen zwischen Generationen, zwischen verschiedenen Milieus, von Vernetzung, die ich äußerst spannend finde. Das meiste hat eine wahnsinnige Spontaneität. Ich glaube, da muß man dann auch die pädagogischen Finger raushalten und nicht mit medienpädagogischen Projekten etwas anleiern. Das Radio an sich in seiner Struktur gibt schon die Möglichkeit für eigentlich die schönste Form der Begegnung. Die spontane und einfach durch das sich gegenseitig Erleben ohne Anleitung etwas mitzubekommen, was andere so machen. Und was das Internet angeht, glaube ich teils teils. Also, übers Internet bekommt man schon Anregungen. Es ist ja schon so, daß die Leute trotz Internet reden wollen. Und nicht nur einfach über einen Chat. Da wird sich dann halt wie früher über das Leitmedium Fernsehen oder vorher Radio unterhalten. Wahrscheinlich über irgendwelche Internetseiten. Hast du da schon geguckt, wie das grade aktuell über diese www.blutgrätsche.de-Geschichte ist? Es wird also eine orale Kommunikation, eine direkte Begegnung auf keinen Fall aufhören. Es hat natürlich Auswirkungen z.B. auf 's Zeitpensum. Im Internet kann man sich tatsächlich verlieren. Es heißt ja nicht umsonst "weltweites warten"und solche Geschichten. Aber andererseits gewinnt man dann an anderen Stellen wieder ein bißchen Zeit.

H. H.: Kann es vielleicht sein, wenn die Software immer billiger wird, daß die einzelnen Gruppen gar nicht mehr ins Radiostudio kommen, um da ihre Beiträge zu produzieren, sondern sie machen es einfach zu Hause an ihren Computern und benutzen das Studio, wenn es nicht Live-Sendungen sind nur, um ihre fertig produzierten Hörfunksendungen abzuspielen. Und das hat dann zu Folge, daß die Körperlichkeit bei der Radioarbeit, also das sich Sehen in der Institution einfach verloren geht. Oder siehst du die Gefahr nicht und es ist eine überzogene Darstellung ?

B. F.: Ich weiß nicht, ob so etwas immer gleich Gefahren bedeutet, weil ich glaube, es gibt immer auch so, wie soll ich sagen, so eine Widerstandsentwicklung dagegen, wenn es vielleicht irgendwann einmal tatsächlich zu einer sehr starken Vereinzelung kommt. Also, du meinst wahrscheinlich, daß wäre dann so ein Modell, es ist nur noch die Radiostation und überall sitzen nur noch irgendwelche Telearbeiter, die dann ihre einzelkämpferischen Telearbeitsplätze haben.

H. H.: Der Hintergrund dieser Frage ist, was ich oftmals bei Gesprächen mit freien Radiomacherinnen und Radiomachern an Klagen höre, daß es ein ganz kleiner Kreis von Aktiven gibt, die sich um das Gesamtprojekt kümmern, und viele zwar Redaktionsarbeit machen, aber das Gesamtprojekt nicht mehr so im Vordergrund steht. Und vielleicht verstärken die neuen Medien im Kontext Freier Radios diese Tendenz der Partiellisierung und Individualisierung.

B. F.: Also, daß es sowas gibt, was man vielleicht Atomisierung nennen könnte, alles wird zersprengt. Angefangen damit, daß es kein Leitmedium mehr gibt und den Leuten dann ein Sendebewußtsein flöten geht. Dann produziert jemand dafür oder dortfür.

H. H.: Ja genau, und das Gemeinsame verpufft sich so, und damit bezogen auf den sozialen Ort auch räumlich. Dann geht man halt nicht mehr ins Radio und diskutiert, sondern macht alles von zu Hause aus.

B.F. : Na ja, andererseits gibt es ja dann auch wieder Leute, die über Internet sehr gut kommunizieren können, also ohne eine "Face to Face"-Kommunikation und denen so etwas auch leichter fällt. Im Freien Radio bedeutet ja so eine "Face to

Face"Kommunikation auch, daß sich durch Rhetorik jemand besser durchsetzt als jemand anderes, das hat auch seine eigene Dynamik, was Hierarchien angeht, die informell sind, die dadurch kommen, daß sich jemand besser ausdrücken kann, auch in Momenten besser ausdrücken kann. Da kann für andere Leute, die vielleicht in schriftlicher Form sich besser ausdrücken können, die mehr Zeit brauchen, die was überlegen wollen, diese Internetkommunikation, ich meine jetzt nicht diesen Chat, der hin und her geht, kann eine bessere Kommunikationsmöglichkeit sein. Das Internet bietet schüchternen Leute die Möglichkeit, sich zu trauen, mehr an Kommunikation teilzuhaben. Auch bietet das Internet die Möglichkeit, anonym zu bleiben. In gewissen Sinn kann das auch mal gut sein, anonym zu bleiben und was sagen zu können. Das ist ja dann auch wiederum eine neue Mitwirkungsebene. Und man muß ja auch nicht einzeln am Computer arbeiten, es geht ja auch gemeinsam als Produktionsgruppe. Für Jugendliche, die vielleicht mit dem Internet aufgewachsen sind, die mit Handys aufgewachsen sind, wird sich natürlich eine andere Art der Diskussionskultur oder Kommunikationskultur durchsetzen, als das jetzt in anderen Generationen wie in meiner, die noch nicht direkt mit dem Internet aufgewachsen ist, der Fall ist.

H. H.: Bei vielen meiner Lesungen in Bundesländern, in denen es keine Freien Radios gibt, wie in Nordrhein-Westfalen oder Berlin, kam oftmals das Argument, warum soll man jetzt die Energie verschwenden für ein Freies Radio, es gibt doch Internetradio, es wäre doch sinnvoller, sich aufs Internetradio einzulassen für politische Öffentlichkeit als den steinigen Weg zu gehen, eine Frequenz für ein freies nichtkommerzielles Radio zu erkämpfen. Was würdest du darauf entgegnen ?

B. F. : Aus Sicht einer Macherin raus, ich sitze da und vielleicht hören mir viele zu.Genau dieses Live-Erlebnis hat man im Internet überhaupt nicht mehr, und das ist ja überhaupt das sehr spannende am Radio. Und das Freie Radio ist auch ein Medium gegen die Vereinzelung der Gesellschaft. Vor allem auch, wenn es um die Organisation des Ganzen geht, deswegen finde ich es schon sehr wichtig, daß es Freie

Radios sind. Daß die sich selbst organisieren, daß man sich auch, was weiß ich, soll man jetzt Schlüssel oder Codekarte als Türversperrung machen oder welcher Teppich, welche Farbe, über so was auseinandersetzt, bis hin zu politischen Grundsätzen und wie Programmprofile gemeinsam entwickelt werden können, das finde ich einen unglaublich wichtigen Aspekt dabei und in den Redaktionsgruppen, diese ganze Sendereflexionsebene, sich kritisch mit dem reflektiert auseinander setzen, was habe ich da gemacht, ich höre mich erstmal selber an, lasse andere das anhören, aber das wäre im Prinzip auch über Internet möglich.

Interview: Michael Menzel (Geschäftsführer bei Radio Dreyeckland)

H. H.: Inwieweit werden sich die Freien Radios aufgrund von Internetradios verändern?

M. M. : Also ich denke, die Freien Radios werden in Zukunft für ihre Recherchen, aber auch für funktionale Zwecke wie Programmaustausch usw. das Internet nutzen. Manche Freien Radios machen ja auch schon Livestreams, aber das wird sicherlich nicht die Hauptsache sein.

H. H.: Eine These meines Buches ist, daß Freie Radios soziale Orte sind. Ich habe ja auch Radio Dreyeckland beschrieben als ein Radio, daß auch eingebunden ist in ein kulturelles Zentrum. Das Radio ist auf dem Grethergelände in Freiburg. Im Radio treffen sich sehr viele unterschiedliche Menschen. Aufgrund des sozialen Ortes können auch Lernprozesse in Gang kommen. Wenn jetzt die Internettechnologie sich weiterentwickelt, die Software wird z.B. immer billiger, kann es ja vielleicht sein, daß die Leute zu Hause am Computer ihre Beiträge produzieren, und vielleicht wird das Radio als sozialer Ort sich stark verändern. Schwarzmalerei ?

M. M.: Weiß ich nicht, dass ist ja immer bei einem neuen Medium, daß dann gesagt wird, die alten werden einen Bedeutungsverlust erleiden, das glaube ich eigentlich eher weniger. Ich meine, einen Bedeutungswandel werden sie sicherlich haben. Aber Tatsache ist, daß die Freien Radios tatsächlich bestimmte soziokulturelle Funktionen schlicht und einfach erfüllen. Das Internet bietet eine Menge Interaktionsmöglichkeiten, die die Freien Radios nutzen können, um z.B. auch die Mauern der Provinzialisierung zu sprengen, weil Freie Radios ja einen sehr starken Lokalbezug haben. Und mit dem Internet besteht die Möglichkeit, mehr Kontakt und Austausch zu bekommen, und ich bin mir sicher, daß dies auch genutzt wird.

110

H. H.: Können auch Synenergieeffekte zwischen den Freien Radios und dem Medium Internet entstehen?

M. M.: Ja natürlich. Wenn du auf irgendeine Homepage eines Freien Radios gehst oder auf unsere, da haben einzelne angefangen, zusätzliche Homepages zu den Radiosites zu machen, so kommst du dann über die Homepage der brasilianischen Sendung dann wiederum zu brasilianischen Künstlern. Du bekommst dann so wieder neue Zugänge, und ich denke, das sind eigentlich Synnergieeffekte, die noch gar nicht so richtig genutzt werden. Die sind zwar erst in den Anfängen da, werden aber Rückwirkungen haben auf die Möglichkeiten, was du sendest, wie du deine Themenauswahl machen kannst. Andererseits ist das auch für die Hörerinnen und Hörer interessant: Wenn die dann im Radio eine Sendung hören und mehr Informationen wollen, können sie auf der Homepage weiterschauen, zumal Radio als Medium ja auch ein sehr flüchtiges Medium ist .

H. H.: Bei vielen Lesungen, die ich in Bundesländern gemacht habe, in denen es keine Freien Radios gibt, kam immer wieder das Argument: Warum sollen wir uns denn engagieren für ein Freies Radio ? Die medienpolitische Landschaft sieht für Freies Radio schlecht aus (z.B. Nordrhein -Westfalen mit Bürgerfunk und Campusradio oder Berlin mit dem drögen Offenen Kanal[26]), das wäre doch vergeudete Zeit, sich für ein Freies Radio zu engagieren, man solle doch vielmehr Internetradio machen. Was würdest du dem Argument entgegensetzen?
Oder haben sie recht ? Ist das Argument vielleicht stimmig ?

M. M.: Für jemand, der in Nordrhein-Westfalen ist, wo momentan Blockadepolitik ist, finde ich das Okay, zu sagen, da mache ich erstmal Internetradio, und kann so mein Radioprojekt aufbauen. Irgendwann hat es vielleicht Rückwirkungen, und sie bekommen vielleicht terrestrische Frequenzen. Die existierenden Freien Radios kön-

---

26 In Berlin ist der Offene Kanal nicht mal terrestrisch zu empfangen, sondern nur über Kabel.

111

nen das Internet für ihre Arbeit positiv nutzen. Unsere Homepage hat täglich ca.300 Zugriffe.

H. H.: Kann man da Sendungen herunterladen ?

M. M.: Noch nicht, dann hätten wir noch mehr Zugriffe. Aber trotzdem, uns schalten in zwei Wochen 63 000 Leute zu, zum Teil gezielt, zum Teil sporadisch, viele haben uns in der Stationtastatur gespeichert. Da hat sich auch etwas verändert gegenüber der Vorstellung das Radio bewußtes Zuschaltmedium ist. Das hat sich längst geändert, aber trotzdem, wir haben 63 000 Menschen, die uns anhören. Ich denke, dieser Faktor wird immer sein. Ich würde nie empfehlen, nur ein pures Internetradio zu machen. Das macht nur die Provider fett trotz Flatrate. Das mag sich in ein paar Jahren wandeln. Und als soziale Orte sind die Freien Radios natürlich besser geeignet.

H. H.: Bei globalen Aktionen wie bei den Protesten gegen die Welthandelsorgansisation WTO in Seattle oder der Tagung des Internationalen Währungsfonds[27] und der Weltbank in Prag im September letzten Jahres, gab es von Medienaktivisten Internetradios, von denen man live Informationen als Livestreams bekommen konnte. Mein Eindruck ist, daß politisch Aktive zunehmend das Internet nutzen für klassische Gegenöffentlichkeit, und die Freien Radios sind nicht mehr so stark involviert wie das einmal der Fall war. Würdest du den Eindruck teilen ?

M. M.: Ich denke, du nutzt die Möglichkeit, die du hast. Das Internet ist für solche Geschichten der unmittelbaren schnellen Vernetzung natürlich total geeignet. Das ist doch eine ganz offenkundige Sache.

H. H.: Also Du siehst das Internetradio also als Ergänzung zu den Freien Radios ?

---

27 Über die internationalen Finanzorganisationen kann in diesem Buch leider nicht sehr eingegangen werden. Ich empfehle als Einführungsbuch "Eric Toussaint: "Profit oder Leben -Neoliberale Offensive und internationale Schuldenkrise." Köln 2000

M.M.: Ja natürlich ! Ich erinnere mich noch an heiße Debatten bei Radio Dreyeckland, die sind gerade mal zehn Jahre her. Soll man nun Computer überhaupt einführen oder nicht. Heutzutage ist das selbstverständlich, also da hinken wir ein bißchen so hinterher, und jetzt wird es zunehmend als Möglichkeit begriffen und eingesetzt. Es wäre töricht, die neuen Technologien nicht einzusetzen. Interessanterweise wird in bestimmten Ländern des Südens, z.B.Lateinamerika, das Internet von den Community Radios viel mehr genutzt.

Interview: Professor Dr. Norbert Meder / Universität Duisburg und Universität Bielefeld

H. H.: Inwieweit verändert das Internet die aktive Medienarbeit mit Jugendlichen in Freien Radios?

N. M.: Wenn wir die technische Seite betrachten, stellen wir fest, daß wir heute schon digitales Radio im Internet machen können. Es gibt z.b. von der GMD[28] in Sankt Augustin eine Plattform, die mit dem Westdeutschen Rundfunk entwickelt worden ist. Man kann ins Internet gehen und hat ein Programmangebot, klickt es an und hört es dann ab.

H. H.: So etwas ähnliches haben ja auch die Freien Radios mit dem "Freien Radio Netz"entwickelt. Wenn sich diese Technologie so rasant weiter entwickelt, dann gibt es eine Vielzahl von Internetradios. Werden sich dann auch die Freien Radios verändern müssen ? Bisher senden sie ja noch im lokalen Raum, haben einen lokalen Bezug, was ja auch ein Merkmal von Freien Radios ist.

N. M.: Eine große Chance sehe ich darin, daß die Freien Radios freier werden. Nicht mehr die Restriktionen und die Schikanen, in den Lokalfunk reinzukommen, und die Behinderungen, die in ihrer Arbeit durch die Konkurrenz mit bürgerlichen Radios usw. bestehen. Die sind weg. Das ist schon mal ein großer Vorteil. Die Freien Radios können ja den lokalen Bezugspunkt behalten, finde ich auch gut, wenn sie das täten, aber trotzdem ist die Distribution natürlich global. Die Erfahrung mit dem Internet zeigt, daß Gruppen, die gleiche Interessen haben, sich dort finden. Dies eröffnet natürlich auch neue soziale Erfahrungen.

---

28 Die GMD war ein Forschungsinstitute, daß nun mit der Fraunhofer-Gesellschaft fusioniert ist. Infos über Forschungsprojekte unter www.fraunhofer.de

H. H.: Welche soziale Erfahrungen wären das?

N. M.: Ja, daß ich eben verteilt arbeiten kann, an verschiedenen Standorten, daß alles trotzdem schnell geht. Direkte Kommunikationsmöglichkeiten, man kann ja einen Chat mit anhängen, wo man sehr schnell miteinander kommunizieren, sich austauschen kann. Vor allem ermöglicht das Internetradio auch Kooperationen. Man kann dann mit allen Freien Radios zusammen eine Sendung machen. Die Sendung selbst kann von unterschiedlichen Orten aus bearbeitet werden. Da verwendet einer noch ein Interview, ein anderer interviewt dazu eine andere Person, was vorher so nicht möglich war. Das wissen wir auch aus anderen Szenarien. Dieses sehr leicht auf einem gemeinsamen Dokument arbeiten können, also diese neue Kooperationsform ist mit Sicherheit ein positiver Effekt. Ich denke, diese Möglichkeiten bedeuten eine Erweiterung der Arbeit der Freien Radios. Ich denke aber nicht, daß die jetzigen Arbeitsformen ersetzt werden, und ich glaube auch nicht, daß sie diese ersetzen sollten. Gerade unter sozial- und medienpädagogischen Gesichtspunkten ist es wichtig, wenn Jugendliche im Freien Radio sehr viel im Team arbeiten. Wenn man z.B. live auf Sendung geht -"Hier und Jetzt"erfordert es eine besondere Teamfähigkeit. Die dazu notwendige Harmonie der Zusammenarbeit eines Teams, womöglich auch noch unter Zeitdruck, ist schon eine Anforderung, die sehr positiv ist, wo viele Lernprozesse gemacht werden, aber nicht nur Lernprozesse, es werden auch Freundschaften geschlossen, es werden Sozialbeziehungen aktiviert und verbessert. Das sind alles Aspekte, die sehr wichtig sind.

H. H.: Herr Meder, lassen sie mich eine kritische Anmerkung machen. Was halten Sie von dem Szenario, die technische Entwicklung geht soweit, daß die Technologie immer billiger wird und man sitzt dann zu Hause an seinem Computer mit digitaler Schnittechnik und produziert Hörfunkbeiträge, die elektronisch zum Ausstrahlungsort des Freien Radios übermittelt werden. Dann trifft man sich nicht mehr mit der Radiogruppe, spricht sich nicht mehr von Angesicht zu Angesicht ab, und produziert nicht mehr gemeinsam im Kollektiv Radiosendungen. So wird dann zur bereits vorhandenen Individualisierung einer weitergehenden Individualisierung Vorschub geleistet. Sehen Sie die Gefahr auch oder ist es Kulturpessimismus?

N. M.: Ich tendiere eher dazu zu sagen, daß dieses Szenario Kulturpessimismus ist. Aus anderen Forschungsfeldern, wie z.b. Computerspielkulturen sind die empirischen Ergebnisse eigentlich so eindeutig, daß man beispielsweise, auch wenn man gerne Computer spielt, lieber zusammen spielt. Auch wenn der eine nur zuguckt. Da läuft sehr viele soziale Kommunikation parallel.die Situation, allein vor dem Bildschirm zu sitzen, ist immer nur der schlechtere Ersatz für andere Möglichkeiten. Computerspiele haben sogar eine bestimmte Form der sozialen Kommunikation eher verbessert. Da sind Themen da. Man braucht ja auch etwas, um mit anderen Leuten reden zu können. Darüber wird ja die soziale Beziehung transportiert. Ich glaube auch nicht, daß es derart individualisiert wird, daß jetzt meinetwegen in einer Radiogruppe, die aus sechs Leuten besteht, jeder einsam und allein vor seinem Computer sitzt und nur noch über E-Mail kommuniziert, jeder macht seinen Teil, und dann basteln sie es zusammen. Das kann unter bestimmten Bedingungen auch mal vorkommen. Das will ich nicht ausschließen. Aber das wird nicht die Arbeitskultur werden. Das macht einfach zu wenig Spaß. Man würde sich trotzdem zu dritt am Computer treffen und den Hörfunkbeitrag gemeinsam produzieren.Ein weiterer Punkt sind die Live-Sendungen. Dies ist ja auch jetzt schon eine andere Kooperationsform als wenn ich eine Sendung vorproduziere. Die Live-Sendung liefert eine Form von Authentizität, die - glaube ich - in Zukunft in unserer Welt der vermittelten Medien zunehmend attraktiv wird. Das kann man bei den Jugendmusikkulturen beobachten. Warum fahren die Leute doch alle zu dem Event des Konzerts ? Trotz Musikvideos. Die jungen Leute können doch mit ein wenig Crackertum alles aus dem Netz herunterladen. Kostet nichts mehr, wenn sie geschickt sind usw. Trotzdem, man fährt zu den großen Popfestivals. Weil das authentisch ist.

H. H.: Gerade die Möglichkeit, Live- Radio zu machen, ist ja eine Stärke der Freien Radios im Vergleich etwa zum BürgerInnenfunk in Nordrhein-Westfalen, wo vorproduzierte Sendungen beim örtlichen kommerziellen Lokalradio abgegeben werden können. Die Freien Radios sind soziale Orte, HörerInnen können anrufen während der Sendung oder einfach vorbeikommen. Jugendliche bringen ihre Freunde und Freundinnen mit. Der Studioraum wird auch sozialräumlich angeeignet. Jugendliche machen die kollektive Erfahrung, daß die Produktionsmittel nicht einer Privatperson gehören, sondern es gehört allen, und auch durch die spezifische Form der freien Radioarbeit werden sozialräumliche Erfahrungen gemacht. Zum Beispiel: Ein Kind macht fürs Kinderradio ein Interview und muß mit - sagen wir mal elf Jahren - in ein anderes Stadtteil gehen, um sich mit andersartigen Menschen zu treffen und zu unterhalten. Unter sozialökologischen Gesichtspunkten findet ein sozialräumlicher Aneignungsprozess statt. Das wurde ja im Buch ausführlich beschrieben. Hinzu kommt nun noch der Eventcharakter der Live –Sendungen als Wert an sich.

N. M.: Da wäre es jetzt beispielsweise interessant, ob das neue Medium nicht auch so etwas wie eine digitale Live-Sendung etablieren bzw. kultivieren wird. Die Radio Live-Sendung im Internet wäre ja die, daß jeder weiß, Mittwochs von 17:00 bis 18: 00 Uhr geht die freie Radiogruppe Bielefeld oder Berlin live ins Netz. Das ist genau dasselbe wie in eine Newsgroup gehen oder in den Chat gehen. Und gerade der Livegedanke hat bei den Chats den Reiz. Eine gewisse Form von Authentizität ist dadurch gegeben, daß Raum und Zeit identisch sind. Auch wenn ich nicht weiß, wie mein Chatpartner aussieht.

H. H.: Aber das Interessante daran ist doch, daß, obwohl es ein globales Medium ist, die Akteure, die den Chatraum nutzen, hauptsächlich im Nahbereich wohnen. Es sind doch nur ganz wenige Menschen, die dann von Bielefeld aus mit Berlin oder Amsterdam oder New York kommunizieren. Der Großteil der Nutzer kommt aus der Region. Aber zurück zum Freien Radio. Bislang zeichneten sich die Freien Radios dadurch aus, daß es einen offenen Zugang zum Haus und zu dem Sender gibt. Ist es da nicht sinnvoll, anstatt zu chatten gleich zum Radio zu fahren ? Oder ein anderes Beispiel: Viel Kommunikation im Freien Radio läuft ja übers Telefon. Die brechtsche

Radiotheorie: "Jeder Sender ein Empfänger"ist ja in den Freien Radios durchaus verwirklicht. Die Leute können bei Diskussionen anrufen und mit Hilfe des Telefons weiterdiskutieren und zuhören. Wie weit wird sich auch dies verändern?

N. M.: Wenn man auch Live-Radio als eine Form im Internet etabliert, wird es für die meisten ein Abrufradio sein. Aber die Rezipienten des Internetradios sitzen ja vor dem Bildschirm am Rechner und können sich sehr viel schneller in die Sendung einschalten, so daß es auch eine interaktivere Form, und zwar eine eminent aktivere Form geben könnte. Das könnte von einem Freien Radio aktiv gefördert und unterstützt werden.

H. H.: Die Freien Radios sind in den Städten, in denen sie senden, sozial und kulturell fest verankert. Inwieweit wird sich das durch die Pluralisierung von Medien verändern - oder medial gesehen: Inwieweit haben wir dann eine Entwicklung, wo dann das einzelne Individuum sich gar nicht mehr mit anderen Meinungen auseinandersetzen muß, weil wenn ich mich z.B. für einen Themenbereich besonders interessiere - nehmen wir mal Anti-Atompolitik - dann kann ich mir da die entsprechenden Fachzeitschriften besorgen und muß mich nicht mehr mit anderen Menschen und Meinungen auseinandersetzen. Freie Radios bieten ja die Möglichkeit, mit sehr unterschiedlichen Menschen zusammen zu kommen und neue Erfahrung zu sammeln. Da finden dann auch intensive Lernprozesse statt. Aber um es auf den Punkt zu bringen, inwieweit leitet auch die Pluralisierung von Medien eine Entwicklung ein, wo ein ganzheitlicher Bezug immer mehr verloren geht ?

N. M.: Also vom Medium her könnte die Tendenz dahin gehen, daß sich - ich sag jetzt mal - Internetgemeinden einfach durch den Effekt abschotten, daß sich ja dort nur Leute treffen, die da hingehen wollen, und daß nicht diese Zufallskonstellationen, einfach mal Radio machen zu wollen, bewirken, daß dann aus verschiedenen Schichten und aus verschiedenen politischen Gruppierungen verschiedene Leute zusammen kommen, zusammen arbeiten und daß man sich dabei unterhält, und da findet dann Austausch und Auseinandersetzung statt. Das wäre schade, wenn dieser Effekt wegfallen würde. Nun gibt es aber auch umgekehrt Erfahrungen, daß eben auch Auseinandersetzungen, gerade auch politische Auseinandersetzungen im Internet stattfinden, dass z.B. Antifagruppen gezielt immer wieder auf Internetseiten von Rechtsradikalen gehen, durchaus bis hin sie zu zerstören und zu blockieren. Ich sehe momentan keine Indikatoren für zusätzliche Pluralisierung und medial bedingtes Abschotten von Gruppierungen.

H. H.: Inwieweit macht das Internet einen Freien Radioberichterstatter überflüssig? Als ich in Prag bei den Protesten gegen die Tagung des Internationalen Währungsfonds und der Weltbank Telefonberichte für einige Freie Radios übermittelte, stellte ich fest, daß das Internet mit den Informationen der Internetmediengruppe Indymedia viel schneller war. Als ich zum Telefon kam und anrief und das Studio frei war und der Bericht über den Sender kam, waren meine Informationen nicht mehr so aktuell. Auf den Internetseiten von Indymedia waren Bilder vom Geschehen und Berichte zu lesen. Unter dem Aspekt der Informationsvermittlung war ich - ehrlich gesagt - überflüssig.

N. M.: Das würde ich jetzt nicht so sehen. Auch wenn ich die Meldung übers Internet transportiere. Da ist das Internet ja nur der Kanal, über den ich verteile oder an eine Adresse schicke, das macht aber das Statement vor Ort nicht überflüssig, weil das vermittelt ja gerade die Authentizität. Ich will das von jemand hören, der dort ist.

H. H.: Aber wenn der Mensch dort ist am Geschehen und gleich seinen Text ins Netz stellt, dann ist doch die Authentizität auch gegeben.

N. M.: Es kann nicht der Sinn sein, den Text einzutippen. Vom Rezipienten wird das Feature der Authentizität erwartet. Natürlich ist das digitale Medium schneller, und wenn an dem Laptop auch ein Mikrofon angeschlossen ist, dann kann das schon sehr die Berichterstattung revolutionieren. Dennoch ist die klassische Berichterstattung mitten aus dem Geschehen immer noch unersetzbar.

H. H.: Als in den siebziger Jahren Hans Magnus Enzensberger seinen "Baukasten zur einer Theorie der Medien schrieb", verfasste er eine Passage wo er den Fokus auf die Produktionsmittel setzte und seine These war, daß totalitäre Staaten aufgrund der historischen Entwicklung der Produktionsmittel nicht mehr politisch überleben können. Als Beispiel nannte er den Kopierer und den Drucker. Je billiger diese Drucker und Kopierer werden, desto mehr Informationen über Flugblätter können verteilt werden, und für totalitäre Staaten wird es zunehmend schwieriger, Zensur zu üben. Dazu eine interessante Szene, die ich in Prag erlebt habe, kurz vor Beginn der Groß- demonstration gegen IWF und Weltbank. Beim Sammelpunkt war eine kleine Bühne aufgebaut, wo die Aktivisten standen, und davor versammelte sich die internationale Presse mit ihren vielen Fernsehkameras. Die Aktivisten sagten, daß dieser globale Protest auch gefilmt wird. Sie sagten: Wir filmen zurück. Jeder Polizeiübergriff wird gefilmt und wir beobachten auch die Medien. Es standen dann so ca. hundert linke Medienaktivisten auf der Bühne und filmten mit ihren Webcams und Videokameras die Presseleute. Als eine Art mediale Gegenmacht. Das war ein sehr eindrucksvolles Bild. Jeder Aktivist hatte eine Kamera und hat somit die Definitionsmacht um die Macht der Bilder aufgehoben. Sehen Sie darin eine Chance für alternative Medien- politik?

N. M.: Auf jeden Fall sehe ich da eine große Chance für eine politische, insbesonde- re für eine gegenpolitische Aktivität, weil eben auch durch die Digitalisierung der freie Zugang zu Informationstransportkanälen geschaffen wird - in der Tendenz also die Möglichkeit geschaffen wird, ein Gegenmedium zu etablieren und zu sein. Und im Bereich der Neuen Medien ist es ja noch so, daß die Produktionsmittel allen ge- hören, diese Medien also eine Tendenz haben, daß jeder sie als Produktionsmittel besitzen kann und daß ......

H. H.: Na ja, solch ein Computer kostet gebraucht ja schon tausend Mark.

N. M.: Gut, aber wenn sich kleinere Gruppen zusammen schließen, dann geht es schon und das ist ja fast schon medial ein sozialistischer Gedanke. Produktionsmittel sind frei. Und dann können natürlich auch politische Gegenaktionen laufen.

H. H.: Noch eine letzte Frage: Was glauben Sie, welche Qualifikationen auch im Hinblick auf die neuen Medien Multiplikatoren haben sollten, die in Freien Radios mit Jugendradiogruppen arbeiten?

N. M.: Weil es Arbeit mit Jugendlichen ist, die vielfach noch nicht in diesem medialen Bereich fit sind, müssen sie natürlich mit diesem Produktionsmittel, mit dieser Technik oder Technologie umgehen können. Ich würde aber weiter gehen. Sie müssen natürlich auch Regeln, mit diesem Medium umzugehen, beherrschen, und mit diesen Regeln meine ich jetzt natürlich strikte Regeln, die an dem Medium hängen. Diese Regeln müssen sie kennen und auch vermitteln können, aber auch soziale Konventionen, die mit diesem Medium zusammenhängen. Nicht daß man sich diesen Konventionen immer anpassen muß, aber man muß sie einfach kennen, um sie notfalls auch mal zu unterlaufen und bewußt zu brechen. Diese Regeln und Konventionen müssen sie parat haben, und ich will nicht sagen, daß es unbedingt eine erlernte Fähigkeit sein muß, aber sie müssen ein Händchen haben, mit Jugendlichen im Sinne solcher Regeln und Konventionen kritisch umzugehen. Ich würde nicht gleich einen Medienpädagogen fordern, obwohl ein gut ausgebildeter Medienpädagoge - natürlich !

9. Anhang

Programmschema "Radio Dreyeckland"(Freiburg)

Zeit	Montag	Dienstag	Mittwoch	Donnerstag	Freitag	Samstag	Sonntag
06.00	**M o r g e n r a d i o**						Knallmusik
07.00							
08.00	Musik, Veranstaltungen u.v.m						Knallbonbon Kindersendung
09.00	Wiederholung des Morgenradio 8.00 - 10.00						U-ne Sendung in Koreanisch
10.00							Jazz News
11.00	Radio International (Wdh/Sa)	Kommunalmagazin Regionalfunk EM (Wdh)	Radio International (Wdh/Di)	Arbeitsweltradio (Wdh/Mo)	In And. Sprachen (Wdh) Bosnische Sendung	Musik aus Studio B	Espaco Aberto (brasilianisch)
12.00	**H i g h N o o n M i t t a g s m a g a z i n**					The Voice of Africa (franz.-engl.-arab.)	Pouya (persisch)
13.00	Radio Juventud Jugendmagazin (Wdh/So)	k.kulturelles (Wdh/So)	Frauen u. LesbenRadio (Wdh/Di)	k.kulturelles (Wdh/Mi)	Radio International (Wdh/Do)	Freiplatz	
14.00	Global 3000 (Wdh/So)	Global 3000 (Wdh/Mo)	Global 3000 (Wdh/Di)	Kunstfunk (Wdh/So)	Schwule Welle (Wdh/Do)	Boa Trade Portugal (portugiesisch)	Notenschlüssel
15.00	Startzeitungsradio (Wdh/Fr)		**I n t e r k o n t i n e n t a l e M u s i k**			Denge Kurdistan (deutsch-kurdisch)	Neue Töne Klassik Musik nach 1945
16.00	Stadtfunk Freiplatz	Amnesty International Greenpeace	Schwarzer Funk Punx gegen Langeweile	1. Do: Selbsthilfegruppen 2./4. Do: Polnisch 3. Do: Graue Panter	Radio Esh (russisch)		Radio Juventud/ MischKult Int.kult.Jugendredaktion Letzter So/Monat/ Jugendredaktion Standfor/Bauen 14tägg 17-18 Uhr
17.00	**M u s i k m a g a z i n : aktuelle Platten, Konzerte, Interviews**				Spanische Sendung	Contro Senso (italienisch)	
18.00	**RDL-Info: Aktuelles - Hintergründiges** (jeder 2. Freitag: Gnnnnng/2211; jeder 2. Mittwoch Frauen und Lesbenaufo)				Zecke	Dostlugun Sesi (türkisch)	Wort - Musik Spezial/ Debatte, Sonderstnedung, Charts
19.00	Kommunalmagazin Regionalfunk EM	Radio International	Arbeitsweltradio	Radio International	Radio International	Radio International	Freiplatz Permanent Waves
20.00	Global 3000	Frauen und Lesbenradio	k.kulturelles	Schwule Welle	Startzeitungsradio/ Breakdown	Meet the Beat	
21.00	Umweltmagazin Babylon Calling Reggae (22.15)	Radio International	Radio Waves	French Fries Musique francaise	Frantic Freakshow/ Bittersweet	Sprung aus den Wolken 7 Back to Zero	Kuastfunk
22.00	Black Street Down to Earth (23.30)	Evol Nisse / Magickal Mystery Mix	Incubus Succibus	Hörfunk-Shower Laut & Deutlich (22.30)		Boogie on Produktion	k.kulturelles
23.00		Kategorie X		Starts & Hits	Cluster Buster Hardware (22.30)	Tender Trolls	
24.00	Blue Monday	Final Solution	Mit Walter Kruse	Fly High Groove/House			
01.00	Blues & Soul	Experimentelles	Space Punk/Speedcore	Cash from Chaos	Plessuredome	Bomb the Weekend	Opermnacht

123

Programmschema "Freies Radio für Stuttgart"

Freies Radio für Stuttgart

	Montag	Dienstag	Mittwoch	Donnerstag	Freitag	Samstag	Sonntag	
7	Frühstücksbrett		Morgen-grauen	Atonale				7
8			Frühstücksradio 14 täglich	Strategien 14 täglich			1. Sa. I. M.: Der Skeptische Augenblick	8
9			Monoton 14 täglich			Szenario	2. Sa. I. M.: Radio Diamant	9
10							Eritreische Redaktion	10
11				Arbeitsweltradi o Wh		Pool wechselnd	Alevitische Redaktion	11
12				FrauenLes-			Kurdische	12
13				benRadioWh/ Selbshilfe magazinWh	Between th Cracks /	Monoton	Redaktion	13
14	Jazz funkt Wh				Jazz funkt Im wechsel		Mosaik Interkulturelles	14
15					Harakiri	Taban Iranisch	Sommer Akademie/	15
16	Mosaik Interkulturelles			Schattenklänge Wave/Electronic		Mosaik Interkulturelles	Evil Live Radio i. W.	16
17	Pool wechselnd	Arbeitswelt-radio	Schülerinnen Radio	Radio Flavour	Radio aktiv	Satokii Musikmagazin		17
18	Nachrichten,		Inforedaktion	Hintergrundberichte			Radio Neckar	18
19	Jugend-redaktion	Kultur	Black vibes and tunes	1., 3., 5. Do: Selbsthilfemag. 2. Do	Kultur	Jazz funkt		19
20	Du läuft niemals allein Fußball	Studis Stunde	Hier sendet nicht das	FrauenLesenR 4. Do: AIDS-Hilfe	Wort-Pool		schwulFunk	20
21	No Front	Studio 2	Freie radio für Stuttgart	ragga stamina	Suchstation für Musikjunkies	Klangkonfekt		21
22	metall & HC	Und wenn es	Klassik-	black channel/ rose of england	Sabotage			22
23	Pizza & Coke/	nicht die Liebe ist	Redaktion	black channel/ maiz & milho	Radio aktiv	Weird Radio	Kraut und Rüben	23
24	Rock'n Roll wechselnd	Monoton	Kultur Experimente		pervers		Ist more	24
1					Pool open end	Pool open end	Letzter So. i. M. Black channel Bis 3 Uhr	1
	Montag	Dienstag	Mittwoch	Donnerstag	Freitag	Samstag	Sonntag	

124

Programmschema "KANAL Ratte" Schopfheim

Ungerade Kalenderwochen

Zeit	Mo	Di	Mi	Do	Fr	Sa	So
15-16 Uhr						Siehe Fußnote 3	
16-17 Uhr	WDH der schwarze Faden	WDH Donnerwetter	WDH Ponyexpress	Rock – Club	WDH Rattenfänger	Cagdas	Only Entertainment
17-18 Uhr	WDH Irgendwas	Offener Sendeplatz	Umwelt	Der Schwarze Faden	Dezeit noch nicht fest belegt	Cagdas	Only Entertainment
18-19 Uhr	Unverdrossen	Scratch	Rattenfänger spezial	Siehe Fußnote 1	KundRBund	Ponyexpress	Blaster Fenster
19-20 Uhr	Sports & More	Ghetto – blaster	Schwulfunk	Donna Wetter	Sieh Fußnote 2	LitFAß	Blaster Fenster
20-21 Uhr	Sound of the Suburbs	Ghetto – blaster	Schwulfunk	Dark Vision	V I P	Kultur Frontal	Heartbeat
21-22 Uhr	Sound of the Suburbs	Scheiße + Reis	Rigor Mortis	Dark Vision	Plasma goes Hirnschraube	Kultur Frontal	Talking Loud
22-23 Uhr	Die Kommenden	Scheiße + Reis	Rigor Mortis	Cybergreen	Plasma goes Hirnschraube	Kultur Frontal	Talking Loud
23-24 Uhr	Die Kommenden			Cybergreen	Plasma goes Hirnschraube	Kultur Frontal (event. Konzertübertragung)	

Fußnote :1 wöchentlicher Wechsel 1ter ...tag im Monat : Erw- OSP 2ter : Rote Welle 3ter : Erw- OSP 4ter : Jusos
Fußnote :2 wöchentlicher Wechsel 1ter ...tag im Monat : Schwarze Zone 2ter und folgende : Freaks
Fußnote :3 wöchentlicher Wechsel 1ter ...tag im Monat : Tse Tse 2ter und folgende : Öczgürce
Hinweis zu Samstagabend : Wenn im Irrlicht Konzert ist – wird in der Regel LIVE übertragen

Gerade Kalenderwochen

Zeit	Mo	Di	Mi	Do	Fr	Sa	So
15-16 Uhr						Siehe Fußnote 3	
16-17 Uhr	Power Play	WDH irgendwas	Offener Sendeplatz für Kinder	Rock – Club	Bakelit	Cagdas	Jam
17-18 Uhr	Lego	WDH irgendwas	Umwelt	Gegen den Strom	Derzeit noch nicht fest belegt	Cagdas	Jam
18-19 Uhr	Lego	Scratch	Rattenfänger spezial	Siehe Fußnote 1	KundRBund	Kulturforum	Blaster Fenster
19-20 Uhr	Sports & More	Ghetto – blaster	Dream Lands	Donna Wetter	Siehe Fußnote 2	LitFAß	Blaster Fenster
20-21 Uhr	Right side of my mind	Ghetto – blaster	Dream Lands	Dark Vision	V I P	Kultur Frontal	Heartbeat
21-22 Uhr	Right side of my mind	Scheiße + Reis	Herzschrittmacher	Dark Vision	Plasma goes Hirnschraube	Kultur Frontal	Talkin Loud
22-23 Uhr	Die Kommenden	Scheiße + Reis	Herzschrittmacher	Cyber Green	Plasma goes Hirnschraube	Kultur Frontal	Talkin Loud
23-24 Uhr	Die Kommenden			Cyber Green	Plasma goes Hirnschraube	Kultur Frontal (event. Konzertübertragung)	

Fußnote :1 wöchentlicher Wechsel 1ter ...tag im Monat : Erw~ OSP 2ter : Rote Welle 3ter : Erw- OSP 4ter : Jusos
Fußnote :2 wöchentlicher Wechsel 1ter ...tag im Monat : Schwarze Zone 2ter und folgende : Freaks
Fußnote :3 wöchentlicher Wechsel 1ter ...tag im Monat : Tse Tse 2ter und folgende : Öczgürce
Hinweis zu Samstagabend : Wenn im Irrlicht Konzert ist – wird in der Regel LIVE übertragen

Programmschema Freies Radio *"Wüste Welle"* (Tübingen/Reutlingen)

	Montag	Dienstag	Mittwoch	Donnerstag	Freitag	Samstag	Sonntag	
12	Onda Tropical	Frauen-Hour/ Sirene	Guten Tag	Kill your parents	Lausch-angriff		Soundflash	12
13		No Big Deal Session / Velvet Crush	Trümmer-bruch	Ultraschall	Caleidophon / Mission possible 002		Frauen-Hour/Sirene	13
14	Punkrock-party	M 13	Krusty´s Funhouse	Stichwort / Eure Tagesordnung	One World – One Race / Stichwort	Blue Line / Out Demons Out	Lauschangriff	14
15	Radio-oh Station	Radio X	Girls only Off. Mädchenplatz	One by one	Friday Rythms	Mega-pho-nie	Dimanche à trois	15
16	Funarchy	Radio Rap Party	Girls only	Sudhau-funk			Blue Line	16
17	Hier sendet die Uniwelle – hier sendet die Uniwelle					Damatic FM	F:machine	17
18	Oldiethek	Guten Tag	Epplehaus Radio-Aktiv	Lausch-angriff	Kassandra	Goteli G8	Pazwak / 1001 Fremde	18
19		Ultraschall	Kill your parents	Captain Future			Wax Trax	19
20	missio n possible 002 / Infor-mation Overkill	Onda Tropical	Klassik Abonnement	Caleidophon / Sub-sound	Avaye Iran	Full Moon		20
21	Frauen-Hour / Sirene			Rotary Perception	Velvet Crush / Groovin' High		Flava Station	21
22	No Big Deal Session / Takte der Angst	Pnkrock-party	Eure Tagesordnung / Urban Sounds	Trümmer-bruch	Heure Africane	ET OLGA (frequently on frequency) / Rare on Air	Boogie Down Radio	22
23	Something Noise	Haifich-flosse		Out Demons Out / Traumatic Descent	Frauen-Hour/ Sirene		Oldiethek	23
0	Klassik Abonnement	M 13			Lausch-angriff			0
1	Rotary Perception				Electronic Late Night			1

Fragen des Leitfadens/Interview-Jugendradiogruppen in Freien Radios

JUGENDRADIOGRUPPE/ZUSAMMENSETZUNG DER GRUPPE
Wer kann bei euch mitmachen?
Wie alt seid ihr und welche Schule besucht ihr?
Wie ist das Geschlechterverhältnis in der Gruppe?
Anteil Frauen/ Männer?
Geschlechtsspezifische Probleme?
Anteil von ImmigrantInnen?
Anteil Arbeiterjugendliche?

MOTIVATION
Warum macht ihr Radiosendungen?
Wie seid ihr zum Radiomachen gekommen.?

PRODUKTIONSWEISE
Wieviel Zeit verbringt ihr mit Radio machen?
Was ist der Gegenstand eurer Sendungen?
Wie funktioniert eure Selbstverwaltung?
Wie produziert ihr?
Habt ihr Anleitung?

LERNERFOLG/AUSSWIRKUNGEN/MEDIENKOMPETENZ
Was hat Euch das Radio machen etwas gebracht?
Hat sich euer Verhältnis zum Medium Radio verändert?
Haben sich eure Hörgewohnheiten verändert?
Ist euer Interesse für die Politik durch das Radiomachen gestiegen?
Hat sich eine Radioästhetik entwickelt?

VERHÄLTNIS ZUM FREIEN RADIO
Wie sehr identifiziert ihr euch mit dem Freien Radio?
Arbeitet ihr in den Selbstverwaltungsgremien des Senders mit?

Interview Register

Alle Interviews wurden im April 1998 geführt

RADIO DREYECKLAND FREIBURG
Einzelinterview mit den ProgrammkoordinatorInnen des Jugendradios Stefanie 21 Jahre alt und Matthias 26 Jahre alt.

Gruppeninterview mit der Jugendradiogruppe Juventud
TeilnehmerInnen waren: Natalie 16 Jahre, Nodora 15 Jahre, Theo 20 Jahre, Eva 19 Jahre, Bettina 19 Jahre, Julia 19 Jahre, Matthias 15 Jahre.

FREIES RADIO FÜR STUTTGART
Interview mit der Jugendredaktion. TeilnehmerInnen waren: Lea 18 Jahre, Anne 23 Jahre, Freddy 21 Jahre, Beate 18 Jahre, Jörg 22 Jahre, Karla 18 Jahre

FREIES RADIO WÜSTE WELLE TÜBINGEN/REUTLINGEN
Einzelinterview mit Stefan 35 Jahre alt.
ABM-Kraft in der Verwaltung des Freien Radios tätig.

Einzelinterview mit Jan Gronefeld 35 Jahre alt.
Ehrenamtlicher Betreuer der Jugendredaktion.

Einzelinterview mit Lisa 45 Jahre alt. Sie ist zuständig für die Betreuung von Mädchen und Frauen, die besser ins Radio integriert werden sollen.

Gruppeninterview mit Jugendlichen aus der Jugendredaktion. Teilnehmer waren: Lutz 16 Jahre, Daniel 15 Jahre, Jens 15 Jahre, Joe 16 Jahre.

Gruppeninterview mit Mädchen aus der Jugendredaktion.
Teilnehmerinnen waren: Daniela 14 Jahre, Stefanie 15 Jahre.

RADIO KANAL RATTE SCHOPFHEIM
Einzelinterview mit Stefan (genannt Bollo) 26 Jahre alt. Betreuer der offenen Sendeplätze für Kinder und Jugendliche

Einzelinterview mit Heiner 17 Jahre alt, der ehrenamtlicher Musikkoordinator im Radio ist.

Einzelinterview mit Daniel 16 Jahre alt.
Zuerst Jugendradio dann eigene Sendung (Rock Club)

Gruppeninterview mit der Jugendradiogruppe. TeilnehmerInnen waren Alexandra 18 Jahre, Sven 18 Jahre, Ilja 18 Jahre.

10. Literaturverzeichnis:

Ahlers, Norbert: *Radio KANAL Ratte Erfahrungsbericht des kleinsten Radios Baden-Württembergs.* In: Bundesverband Freier Radios (Hg.): Radio Con Text 2. Hamburg 1996. S.16-17

Autonome a.f.r.i.k.a. gruppe, Luther Blisset, Brünzels Sonja (Hg.): *Handbuch der Kommunikationsguerilla - Jetzt helfe ich mir selbst.* Berlin - Göttingen 1997

Baacke, Dieter: *Handbuch Jugend und Musik.* Opladen 1997

Baacke, Dieter/Vollbrecht, Ralf: *Zwischen Selbststabilisierung und Selbstrevision. Heranwachsende und Informationszeitalter.* In: Mansel, Jürgen/Klocke, Andreas (Hg.): Die Jugend von heute: Selbstanspruch Stigma und Wirklichkeit. Weinheim/München 1996. S.53-68

Baacke, Dieter: *Medienkompetenz-Begrifflichkeit und sozialer Wandel.* In: Antje von Rein, (Hg.): Medienkompetenz als Schlüsselbegriff der Erwachsenenbildung. Bad Heilbrunn-Klinkhard 1996. S.112-125

Baacke, Dieter: *Beiträge der Jugendkulturen zur Mediengesellschaft.* In: Bielefelder Jugendring (Hg.): Jugendkulturen und Jugendliche Lebensstile. Bielefeld 1990. S.120-125

Baacke, Dieter/Frank, Günther/Radde, Martin: *Jugendliche im Sog der Medien.* Opladen 1989

Baudrillard, Jean: *Die Illusion des Endes oder Der Streik der Ereignisse.* Berlin 1994

Beck, Ulrich: *Risikogesellschaft. Auf dem Weg in eine andere Moderne.* Frankfurt/Main 1986

Benjamin, Walter: *Der Autor als Produzent.* In: Gesammelte Schriften Band 2.2. Frankfurt am Main 1977. S.683 - 701

Boehnke, Klaus/Hoffmann, Dagmar/Münch, Thomas/Güffens, Friederike: *Radiohören als Entwicklungschance? Zum Umgang ostdeutscher Jugendlicher mit einem alltäglichen Medium.* In: Tenorth, Elmar Heinz (Hg.): Zeitschrift für Pädagogik. Kindheit, Jugend und Bildungsarbeit im Wandel. Ergebnisse der Transformationsforschung. Weinheim/Basel 1997. S.53-70

Böhnisch, Lothar/Münchmeier, Richard: *Praxis sozialräumlicher Jugendarbeit.* In Böhnisch Lothar/Münchmeier Richard (Hg.) Pädagogik des Jugendraums. Zur Begründung und Praxis einer sozialräumlichen Jugendpädagogik. Weinheim/München 1990. S.104-106

Brand, Karl-Werner: *Neue soziale Bewegungen. Entstehung, Funktion und Perspektive neuer Protestpotentiale. - Eine Zwischenbilanz* - Opladen 1982

Brecht, Bertolt: *Radiotheorie 1927-1932.* In: Gesammelte Werke Band 18 (Schriften zu Literatur und Kunst). Frankfurt am Main 1967

Bundesverband Freier Radios: *Rundbrief Nr. 8.* Tübingen 1997

Busch, Christoph : *Was Sie schon immer über Freie Radios wissen wollten, aber nie zu fragen wagten.* Münster 1981

Clobes, Heinz Günter/Paukens, Hans/Wachtel, Karl: *Kulturelle Bildung in der Kommune. Bürger an die Mikrofone - eine neue Aufgabe für die kulturelle Bildung.* In: Clobes, Heinz Günter/Paukens, Hans/Wachtel, Karl (Hg.): Bürgerradio und Lokalfunk. Ein Handbuch. Konstanz 1992

Dahl, Peter: *Radio - Sozialgeschichte des Rundfunks für Sender und Empfänger.* Frankfurt am Main 1983

Dahl, Peter: *Arbeitersender und Volksempfänger. Proletarische Radio-Bewegung und bürgerlicher Rundfunk bis 1945.* Frankfurt am Main 1978

Deinet, Ulrich: *Raumaneignung in der sozialwissenschaftlichen Theorie.* In: Böhnisch Lothar/ Münchmeier, Richard (Hg.) Pädagogik des Jugendraums. Zur Begründung und Praxis einer sozialräumlichen Jugendpädagogik. Weinheim/München 1990. S.71-76

Dorer, Johanna, Marschik Matthias: Ein Europa viele Stimmen. Aufbruchstimmung bei nicht-kommerziellen Radioinitiativen in Ost und West. In: medium. Heft 1 / 1995. Frankfurt am Main 1995. S.14-18

Dreier, Joseph P.: *Der Bundesverband Freier Radios.* In: Dorer, Johanna/Baratsits, Alexander (Hg.): Radiokultur von morgen. Ansichten Aussichten Alternativen. Wien 1995. S.325 - 329

Dutschke-Klotz, Grete/Gollwitzer, Helmut/Miermeister, Jürgen (Hg.): *Rudi Dutschke - Mein langer Marsch. Reden, Schriften und Tagebücher aus zwanzig Jahren.* Reinbeck bei Hamburg 1980

Enderwitz, Ulrich: *Die Medien und ihre Information.* Freiburg i. Brsg. 1996

Enzensberger, Hans Magnus: *Baukasten zu einer Theorie der Medien.* In: Enzensberger, Hans Magnus (Hg.): Kursbuch 20. 1970 - Über ästhetische Fragen. Frankfurt am Main 1970. S.159-186

Fichtner, Jörg: *Gegenöffentlichkeit- Sedimente eines linken Wurfgeschosses.* In: Radio Dreyeckland (Hg.): Querfunk - Ratschlag. Materialien vom Kongreß der freien Radios in Freiburg 9-11. Oktober 1992. Freiburg 1992. S.9-12

Frahm, Eckart: *Medienpädagogische Projekte.* In: Landesanstalt für Kommunikation, Stuttgart(Hg.): Medienpädagogische Projekte in Baden-Württemberg. Villingen-Schwenningen 1996. S.15-84

Giesecke, Hermann: *Einführung in die Pädagogik.* Weinheim-München 1990

Grieger, Karlheinz/Kollert, Ursi/Barnay, Markus: *Zum Beispiel Radio Dreyeckland. Wie freies Radio gemacht wird. Geschichte, Praxis, Politischer Kampf.* Freiburg i. Brsg. 1987

Grieger, Karlheinz: *Ich möcht' auch einmal am Sender stehen. Beteiligung am Rundfunk.* In: DGB Bundesvorstand, Sekretariat Gewerkschaftliche Bildung (Hg.): Multi-Media?! Leben und Arbeiten in der Mediengesellschaft. Baustein 3. Hannover 1995. S.1-21

Grieger, Karlheinz: *Chancen für Kommunikation und Begegnung. Offener Kanal und Bürgerradio.* In: Landesinstitut für Schule und Weiterbildung Soest (Hg.) Kompetent für/durch Medien. Bönen 1998. S.79-103

Günnel, Traudel: *Legistische Grundlagen für nichtkommerziellen Rundfunk in den Mediengesetzen der deutschen Bundesländer.* In: Dorer, Johanna/Baratsits, Alexander (Hg.): Radiokultur von morgen. Ansichten, Aussichten, Alternativen. Wien 1995. S.59-69

Habermas, Jürgen: *Vorstudien und Ergänzungen zur Theorie des Kommmunikativen Handelns.* Frankfurt am Main 1984

Habermas, Jürgen: *Strukturwandel der Öffentlichkeit: Untersuchungen zu einer Kategorie der bürgerlichen Gesellschaft*; mit einem Vorwort zur Neuauflage. Frankfurt am Main 1991

Habermas, Jürgen: *Die Moderne ein unvollendetes Projekt Philosophisch-politische Aufsätze.* Leipzig 1994

131

Haffner, Sebastian: *1918 / 19 - Eine deutsche Revolution.* Hamburg 1988

Haller, Michael: *Recherche und Nachrichtenproduktion als Konstruktionsprozesse.* In: Merten, Klaus/Schmidt, Siegfried J./Weischenberg, Siegfried (Hg.): Die Wirklichkeit der Medien. Eine Einführung in die Kommunikationswissenschaft. Opladen 1994. S.277- 288

Haasken, George/Wigbers, Michael: *Protest in der Klemme. Soziale Bewegungen in der Bundesrepublik.* Frankfurt am Main 1986

Hausen, Karin: *Überlegungen zum geschlechtsspezifischen Strukturwandel der Öffentlichkeit.* In: Gerhard, Ute (Hg.): Differenz und Gleichheit. Menschenrechte haben (k)ein Geschlecht. Frankfurt am Main 1990 268-273

Hereth, Anita: *Parameter politischer Partizipation in Gruppen der neuen sozialen Bewegungen. Eine differentialpsychologische Studie auf handlungstheoretischer Basis.* Frankfurt am Main 1996

Holtz-Bacha, Christina: *Am Rande der Disziplin: Weibliche Perspektiven in der deutschsprachigen Kommunikationswissenschaft.* In: Angerer, Marie Luise/Dora Johanna (Hg.) Gender und Medien. Theorethische Ansätze der Massenkommunikation. Ein Textbuch zur Einführung. Wien 1994. S.35-46.

Horkhelmer, Max/Adorno, Theodor. W.: *Dialektik der Aufklärung.* Frankfurt am Main 1988

Höffgen, Holger/Werner Ulrike: *Gegenöffentlichkeit im Hörfunk in den Bereichen Politik, Kultur und Musik.* In: Radio Dreyeckland (Hg.): Querfunk-Ratschlag. Materialien vom Kongreß der Freien Radios in Freiburg 9-11 Oktober 1992. Freiburg 1992. S.14-17

Hörisch, Jochen: *Was generiert Generationen: Literatur oder Medien? Zur Querelle allemande zwischen Achtundsechzigern und Neunundachtzigern.* In: Hörisch Jochen (Hg.):Mediengenerationen. Frankfurt am Main 1997. S.7-15

Interim. Wöchentliches Berlin-Info Nr. 443 Februar 1998. Berlin 1998. S.9

Jugendwerk der Deutschen Shell AG (Hg.): *Jugend 97 Zukunftsperspektiven Gesellschaftliches Engagement Politische Orientierung.* Opladen 1997

Jungle World: *Dossier 'Radio Days'.* Nr. 30 vom 22 Juli 1998. Berlin 1998. S.15-18

Kinter, Jürgen: *Gegenöffentlichkeit und Selbsttätigkeit. Ende einer medienpolitischen Utopie? Zur Geschichte und Theorie alternativer Öffentlichkeit.* In: Hiegemann, Susanne/Swoboda, Wolfgang H. (Hg.): Handbuch der Medienpädagogik. Theorieansätze -Traditionen-Forschungsperspektive. Opladen 1994 S.205-223

Kollektiv A/traverso: *Alice ist der Teufel. Praxis einer subversiven Kommunikation. Radio Alice (Bologna).* Vorwort von Felix Guattari. Berlin 1977

Koopmann, Ruud: *Soziale Bewegung von rechts? Zur Bewegungsförmigkeit rechtsradikaler und ausländerfeindlicher Mobilisierung in Deutschland.* In: Mecklenburg, Jens (Hg.): Handbuch Deutscher Rechtsextremismus. Berlin 1996. S.767- 781

Landesanstalt für Kommunikation Baden -Württemberg: *Landesmediengesetz in der Fassung vom 14. 12. 1995*

Langenbucher, R. Wolfgang/Fritz, Angelika: *Medienökologie - Schlagwort oder kommunikationspolitische Aufgabe?* In: Fröhlich, D. Werner/Zitzlsperger, Rolf/Franzmann, Bodo (Hg.): Die verstellte Welt - Beiträge zur Medienökologie Frankfurt am Main 1988. S.255-271

Lenk, Carsten: *Die Erscheinung des Rundfunks. Einführung und Nutzung eines neuen Mediums. 1923 - 1932.* Opladen 1997

Lerg, B. Winfried: *Funk und Revolution 1918-1919 - Die politische Herausforderung.* In: Bausch, Hans (Hg.): Rundfunkpolitik in der Weimarer Republik. München 1980. S.38-44

Lindner, Werner: *Lokalfunk - Chancen für die Kinder -, und Jugend- und Stadtteilarbeit.* In: Brenner, Gerd/Niesyto, Horst (Hg.): Handlungsorientierte Medienarbeit: Video, Film, Ton, Foto. Weinheim/München 1993. S.143-149

Lovink, Geert: *Hör zu - oder stirb! : Fragmente einer Theorie der souveränen Medien.* Berlin - Amsterdam 1992

Lyotard, Jean Francois: *Das postmoderne Wissen - Ein Bericht.* Wien 1994

Marx, Karl/Engels, Friedrichs: *Zur Kritik der Politischen Ökonomie.* Band 13 Gesamtausgabe. Berlin 1971

Meulenbelt, Anja: *Scheidelinien Über Sexismus, Rassismus und Klassismus.* Reinbeck bei Hamburg 1988

Negt, Oskar: *Gegenöffentlichkeit und Erfahrung. Über die Krisis in der Arbeitsweise linker Medien heute*. In: Maresch, Rudolf (Hg.): Medien und Öffentlichkeit. Positionierungen Symptome Simulationsbrüche. München 1996. S.33-40

Negt, Oskar/Kluge, Alexander: *Wertabstraktion und Gebrauchswert in den Zerfallsformen der bürgerlichen Öffentlichkeit*. In: Baacke, Dieter (Hg.): Kritische Medientheorien. Konzepte und Kommentare. München 1974. S.22-73

Negt, Oskar/Kluge, Alexander: *Öffentlichkeit und Erfahrung. Zur Organisationsanalyse von bürgerlicher und proletarischer Öffentlichkeit*. Frankfurt/Main 1972

Network Medien-Cooperative: *Frequenzbesetzer. Arbeitsbuch für ein anderes Radio*. Hamburg 1983

Neumann-Braun, Klaus: *Medienkommunikation und Formen der Partizipation*. In: medien praktisch, Heft 4 / 1997. Frankfurt a. Main. Oktober 1997.

Niesyto, Horst: *Medien als Erfahrungsräume*. In: Böhnisch, Lothar/Münchmeier, Richard (Hg.): Pädagogik des Jugendraums. Zur Begründung und Praxis einer sozialräumlichen Jugendpädagogik. Weinheim/München 1990. S.71-76

Podehl, Bernd Reinhard: *Medienpädagogik und Erwachsenenbildung*. Frankfurt/ Main 1984

Pöttinger, Ida: *Lernziel Medienkompetenz. Theoretische Grundlagen und praktische Evaluation anhand eines Hörspielprojekts*. München 1997

Radio Dreyeckland (Hg.) : *Werd' auch zum Äthertäter. Projekt Jugendradio im Dreyeckland. Dokumentation*. Freiburg 1995

Raschke, Joachim: *Soziale Bewegungen: ein historisch-systematischer Grundriß - Studienausgabe*. Frankfurt am Main - New York 1987

Raschke, Joachim: *Die Grünen. Wie sie wurden, was sie sind*. Frankfurt am Main - Wien 1993

Roth, Roland: *Demokratie von unten. Neue soziale Bewegungen auf dem Weg zur politischen Institution*. Köln 1994

Rucht, Dieter: *Modernisierung und neue soziale Bewegungen; Deutschland, Frankreich und USA im Vergleich*. Frankfurt am Main/New York 1994

Schell, Fred: *Elitenförderung oder Breitenarbeit. Tendenzen aktiver Medienpädagogik*. In: medien und erziehung. 41 Jg., Nr.3, Juni 1997. München. S.143-147

Schell, Fred: *Aktive Medienarbeit mit Jugendlichen. Theorie und Praxis.* München 1993

Scherr, Albert: *Subjektorientierte offene Jugendarbeit* In: Deinet, Ulrich/Sturzenhecker, Benedikt (Hg.) Handbuch offene Jugendarbeit. Münster 1998

Scherr, Albert: *Subjektorientierte Jugendarbeit - Eine Einführung in die Grundlagen emanzipatorischer Jugendpädagogik.* Weinheim/München 1997

Schorb, Bernd: *Medienpädagogik.* In: Zeitschrift für Erziehungswissenschaft. Schwerpunkt Medien Heft 1. / 1998 Leverkusen. S.7-22

Schrecker, Thomas: *Freie Radios in den Neunziger.* In: Radio Dreyeckland (Hg.): Querfunk-Ratschlag. Materialien vom Kongreß der freien Radios in Freiburg 9-11 Oktober 1992. Freiburg i. Bsg. 1992. S.6-9

Schwendter, Rolf: *Theorie der Subkultur.* Neuauflage Hamburg 1993

Stadt Schopfheim (Hg.) : *Stadtführer Schopfheim - Informationen.* Mering 1998

Stamm, Karl Heinz: *Alternative Öffentlichkeit. Die Erfahrungsproduktion neuer sozialer Bewegungen.* Frankfurt am Main - New York 1988

Sterneck, Wolfgang: *Der Kampf um die Träume. Musik, Gesellschaft und Veränderung.* Hanau 1995

Sickinger, Harald: *Zauberwort Pluralität* In: Jungle World Nr.30, 22 Juli 1998. Berlin 1998. S.16

Sturm, Robert/Zirbik, Jürgen: *Die Radio Station. Ein Leitfaden für den privaten Hörfunk.* Konstanz 1996

Tiefenbach, Paul: *Die Grünen - Verstaatlichung einer Partei.* Köln 1998

Volkmer, Ingrid : *Kulturräume statt Kulturpädagogik?* In: Baacke Dieter, Frank Andrea, Frese Jürgen, Nonne Friedhelm (Hg.): Am Ende postmodern. Next Wave in der Pädagogik. Weinheim/München 1995. S.131-140

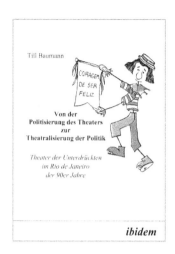

Till Baumann

Von der
Politisierung des Theaters
zur Theatralisierung der Politik

*Theater der Unterdrückten
im Rio de Janeiro der 90er Jahre*

ISBN 3-89821-144-4
208 S., zahlr. Abb. und Fotos, Paperback
EURO 29,90

Erhältlich in jeder Buchhandlung oder direkt bei
ibidem

"Theater der Unterdrückten" – vielen ist Augusto Boals emanzipatorische Theaterpraxis noch aus den 70er und 80er Jahren bekannt. Lange hatte Boal im Pariser Exil gelebt und war in Europa inzwischen mindestens genauso bekannt geworden wie in seiner brasilianischen Heimat. Doch was ist seit seiner Rückkehr nach Brasilien Ende der 80er Jahre geschehen? Wie und wohin haben er und andere das Theater der Unterdrückten in Rio de Janeiro weiterentwickelt? Diesen Fragen geht Till Baumann in seinem Buch nach. Es handelt von Kultur und Partizipation, von Emanzipation und Kunst, von einer völlig neuartigen Verbindung von Theater und Politik: dem *Legislativen Theater* – einem Ansatz, der weiter geht als die bisherige Praxis des Theaters der Unterdrückten. Denn so wie die ZuschauerInnen sich im Theater der Unterdrückten aus ihrer Passivität befreien und zu AkteurInnen werden, hören BürgerInnen im Legislativen Theater auf, bloße ZuschauerInnen herrschender Politik zu sein. Es geht um neue Formen von Politik, in denen Theater eine zentrale Rolle spielt und neue Partizipationsmöglichkeiten eröffnet.

Der Autor:

Till Baumann ist Diplom-Pädagoge, freier Theatermacher und Musiker. Er lebt in Berlin. Für dieses Buch forschte und arbeitete er drei Monate lang am Zentrum des Theaters des Unterdrückten in Rio de Janeiro.

Bestellungen und Anfragen richten Sie bitte an den

ibidem-Verlag, Melchiorstr. 15, 70439 Stuttgart, Tel.: 07 11 / 9807954, Fax: 07 11 / 8001889

Doris Kempchen

Wirklichkeiten erkennen • enttarnen • verändern

Dialog und Identitätsbildung im Theater der Unterdrückten

ISBN 3-89821-126-6
160 S., Paperback
EURO 25,00

Erhältlich in jeder Buchhandlung oder direkt bei

ibidem

Augusto Boals Theater der Unterdrückten will Menschen dazu befähigen, in Situationen der Unterdrückung das eigene Opferverhalten zu erkennen und sich aus dieser zugeschriebenen Rolle zu befreien. Grundlegend dabei ist der Dialog zwischen Spielenden und Zuschauenden, in dem verschiedene Perspektiven und Handlungsstrategien für ein Problem szenisch dargestellt und diskutiert werden.

Die Autorin hat die Arbeit des Zentrum des Theaters der Unterdrückten in Brasilien begleitet. In diesem Buch setzt sie sich mit der Praxis des seit 1993 in Rio de Janeiro angewandten Legislativen Theaters auseinander. Im Mittelpunkt steht dabei die Frage, wie der emanzipatorische Anspruch des Theaters umgesetzt wird. An welche Bedingungen muss sich die Theaterarbeit orientieren, damit ein gelungener Dialog zwischen Spielenden und Zuschauenden möglich wird?

Die Autorin: Doris Kempchen, geb. 1974, studierte Sonderpädagogik an der Universität Hannover und lernte bei Prof. Dr. Dietlinde Gipser die Methoden des Theaters der Unterdrückten kennen. Im Rahmen des Süd-nordprojektes des ASA Programms der Carl Duisberg Gesellschaft e.V. und der Paulo-Freire-Gesellschaft e.V. begleitete sie während eines Studienaufenthaltes im Zentrum des Theaters der Unterdrückten in Rio de Janeiro die Praxis des Legislativen Theaters. Im folgenden Jahr führte die Autorin mit drei brasilianischen Mitarbeiterinnen des Theaterzentrums Workshops und Vorträge zum Theater der Unterdrückten in Deutschland durch. Seitdem leitet sie Seminare und Workshops in der Jugend- und Erwachsenenbildung. Dabei war sie u.a. in Addis Abeba, Äthiopien und in der Theaterarbeit mit Behinderten tätig.

Bestellungen und Anfragen richten Sie bitte an den

ibidem-Verlag, Melchiorstr. 15, 70439 Stuttgart, Tel.: 0711 / 9807954, Fax: 0711 / 8001889

ibidem@ibidem-verlag.de

Sven Engel

Vom Elend der Postmoderne in der Dritten Welt

Eine Kritik des Post-Development-Ansatzes

ISBN 3-89821-128-2
170 S., Paperback
EURO 25,00

Erhältlich in jeder Buchhandlung oder direkt bei *ibidem*

Postmoderne – Entwicklung – Dritte Welt. In diesem begrifflichen Dreieck bewegt sich das Buch von Sven Engel.

Der Autor führt in die Geschichte der Entwicklungstheorie ein, diskutiert die Machtanalytik von Michel Foucault und verfolgt eine kritische Darstellung des Post-Development-Ansatzes, der sich auf postmoderne und poststrukturalistische Theorien bezieht.

Aus Sicht dieses neuen Ansatzes dient der Entwicklungsdiskurs der vergangenen Jahrzehnte als Instrument der Herrschaft über die sogenannte Dritte Welt: Zuschreibungen wie "Entwicklung" und "Wachstum" konstituieren diese Dritte Welt erst und normieren, verwalten und unterdrücken sie. Die Mechanismen von Objektivierung, Professionalisierung und Institutionalisierung in der aktuellen Entwicklungsdebatte spielen dabei die zentrale Rolle der Unterdrückung. "Entwicklung" stellt somit ein diskursiv konstruiertes System der Kontrolle dar, in dem die betroffenen Menschen in den "Entwicklungsländern" gefangen sind.

Widerstand kann in den Vorstellungen von Post-Development nur an den Grenzen dieses Systems gelingen, in der Vielfalt kleiner Alternativen, die an indigene Tradition anknüpfen und für kommunale Besonderheiten und Genderfragenoffen sind.

Sven Engel gelingt es, diesen auf den Theorien von Foucault und Lyotard beruhenden Ansatz kritisch darzustellen und in das Umfeld von Postkolonialismus, feministischer Entwicklungskritik und kulturwissenschaftlichen Perspektiven einzuordnen. Er zeigt aber auch auf, wie die Widersprüche des postmodernen Denkens, seine normative Kriterienlosigkeit und die mangelhafte Berücksichtigung materieller Grundlagen auf den Post-Development-Ansatz rückwirken. Das Elend der Postmoderne in der Dritten Welt besteht somit in den politisch fragwürdigen Konsequenzen von einer postmodernen Entwicklungskritik.

Der Autor: Sven Engel, geboren 1973 in Basel, studierte Politische Wissenschaft an der Freien Universität Berlin. Seit seiner Zivildienstzeit in einem Obdachlosenprojekt in Chicago interessiert er sich für Fragen von Armut, Weltwirtschaft und sozialer Ungerechtigkeit. Den Anstoß zur vorliegenden Arbeit gab seine Mitarbeit bei SWADHINA, eine entwicklungspolitische Grassroots-Initiative in Kalkutta. Wissenschaftlich arbeitet er zu politischen und ökonomischen Theorien, zur Kritik von Entwicklungspolitik und befasst sich mit den Problemen kapitalistischer Weltwirtschaft und internationaler Beziehungen.

Bestellungen und Anfragen richten Sie bitte an den

ibidem-Verlag, Melchiorstr. 15, 70439 Stuttgart, Tel.: 0711 / 9807954, Fax: 0711 / 8001889
ibidem@ibidem-verlag.de

Die Entwicklung des Theaters der Unterdrückten

seit Beginn der achtziger Jahre

Autor: Helmut Wiegand

242 S., Paperback, EURO 15,80

ISBN 3-932602-33-1

Erhältlich in jeder Buchhandlung oder direkt bei

ibidem

Paulo Freire ("Pädagogik der Unterdrückten") bezeichnete einmal die Theaterarbeit Augusto Boals als die glücklichste Umsetzung seines pädagogischen Konzepts. Das Theater der Unterdrückten, das ursprünglich aus Lateinamerika stammt, existiert seit den siebziger Jahren. Gegen Ende dieses Jahrzehnts stellte Boal im Exil die Ideen und Techniken des Theaters der Unterdrückten in Portugal, Frankreich, Italien und Deutschland vor. In diesem Buch beschreibt und analysiert Helmut Wiegand die Entwicklung dieses facettenreichen Theateransatzes seit Beginn der achtziger Jahre. Er nimmt dabei kritisch und fundiert Bezug auf die Diffusion und Rezeption der Theatermethode in Deutschland. Der Autor erwähnt an zahlreichen Stellen seine eigenen Erfahrungen mit dem Theater der Unterdrückten, das er in Seminaren, Projekten und in der Fremdsprachenpädagogik seit 1989 anwendet.

Das Werk ist nicht nur als theoretische Auseinandersetzung gedacht, sondern soll auch Praktiker (Lehrer/innen, Erzieher/innen, Sozialarbeiter/innen etc.) dazu ermutigen, Theatertechniken (z.B. "Bildertheater"-Formen, vgl. Kapitel 8) einzusetzen.

Dem Autor war es wichtig, Rezipienten der Theatermethode zu Wort kommen zu lassen. So wurde z.B. eine größere Forumtheaterveranstaltung mit ca. 180 Schüler/innen, die 1993 in Mittelhessen stattfand, von ihm mittels eines Fragebogens ausgewertet.

Zwei gesonderte Kapitel zeichnen die Arbeit des Zentrums des Theaters der Unterdrückten in Paris sowie das Legislative Theater in Rio de Janeiro nach. Eine Schwerpunktsetzung der Arbeit ist die reflexive Auseinandersetzung mit dem Forumtheater über lerntheoretische Betrachtungen, aber auch die Konvergenzen und Divergenzen des emanzipatorischen Theateransatzes mit dem Psychodrama finden eingehend Beachtung. Wie das Theater der Unterdrückten in einigen Aspekten Parallelen zum Theater der mittelalterlichen Wanderbühnen aufweist, darüber handelt ein weiteres Kapitel über die Förderung des spontanen Lachens in Seminaren und Veranstaltungen des Theaters der Unterdrückten.

Ines Bollmeyer

Die Medien
- des Systems willige Helfer?

Eine kritische Auseinandersetzung mit der
Gesellschaft und den Massenmedien vor dem
Hintergrund verschiedener Theorieebenen

ISBN 3-932602-54-4
141 S., Hardcover, Schutzumschlag, EURO 34,80

Sonderkonditionen für Sammelbestellungen

Erhältlich in jeder Buchhandlung oder direkt bei
ibidem

Der Titel dieses Buches „Die Medien - des Systems willige Helfer?" scheint gewagt; nicht umsonst ist er als Frage formuliert. Tatsächlich ist der Titel als These zu verstehen, die in diesem Buch überprüft wird. Die Motivation, das zu unternehmen, läßt sich ganz einfach beschreiben. Sie entstand aufgrund der Wahrnehmung eines eklatanten Mangels innerhalb medienpädagogischer beziehungsweise medienwissenschaftlicher Theoriebildung. Der Forschungsschwerpunkt liegt heutzutage ausschließlich auf den Medien (gemeint sind die Massenmedien), ihren Formen und ihren Inhalten. Eine sozialtheoretische Fundierung und gesellschaftskritische Ausrichtung der Medientheorien ist in den Hintergrund getreten. In der heutigen Medienwissenschaft fehlt der Blick auf die Zusammenhänge der einzelnen Gesellschafts- und Kulturbereiche. Damit kann ihr der Vorwurf gemacht werden, sie idealisiere die marktwirtschaftlichen Verhältnisse und gehe nicht auf ihren eigenen Standort und ihre Rolle in diesen Verhältnissen ein (Fehlen von Selbstreflexivität), wodurch ihre Forschungsleistungen zur Reproduktion der herrschenden Praxis beitrügen.

Es geht der Autorin somit um den Versuch, die gesellschaftlichen und kulturellen Tendenzen, die sich mit der Industrialisierung und Modernisierung traditioneller Gesellschaften herauskristallisiert haben, zu erkennen und genauer zu überprüfen. Dabei erscheint die technische Entwicklung explizit als ein Prozeß, der von Interessen und Absichten geleitet wird.

Die Autorin:

Ines Bollmeyer beschäftigt sich nicht nur theoretisch mit den Medien; sie sammelt auch Erfahrungen auf praktischer Ebene im Bereich der Nachrichtenproduktion. Außerdem geht es ihr vor allem um Kompetenzvermittlung innerhalb des Prozesses der Entwicklung von Medienkritik. Mit diesem Anspruch arbeitet sie als Seminarleiterin an der Volkshochschule. Das Ziel ihrer Arbeit ist der Aufbau eines kritisch-refexiven Bewußtseins im Umgang sowohl mit rezipierten als auch mit selbst-produzierten Medien.

www.ingramcontent.com/pod-product-compliance
Lightning Source LLC
Chambersburg PA
CBHW050504080326
40788CB00001B/3992